O PODER DO SUBCC

**Técnicas científicas que lhe permit
ilimitadas de sua mente subconsciente**

Joseph Murphy

Tradução e edição por ©David De Angelis 2023

Youcanprint *Selfpublishing*

Título | O poder do subconsciente
Autore | Joseph Murphy
ISBN | 979-12-21460-99-5

Youcanprint
Via Marco Biagi 6, 73100 Lecce
www.youcanprint.it
info@youcanprint.it

Tabela de Conteúdos

Como este livro pode mudar sua vida

Tenho visto a vida de homens e mulheres em todas as partes do mundo mudar dramaticamente. Sua vida também pode mudar, basta saber como usar o poder mágico de sua mente inconsciente. O objetivo deste livro é ensinar-lhe como seu pensamento habitual e sua imaginação criam e moldam seu destino: a maneira como um homem pensa constitui seu ser.

Existe alguma resposta?

Por que um homem está triste enquanto outro está feliz? Por que um homem é feliz e próspero enquanto outro está desanimado e desamparado? Por que um homem está ansioso e cheio de medo enquanto outro tem confiança e fé? Por que um homem tem uma casa maravilhosa cheia de luxo enquanto outro leva uma existência miserável em uma barraca? Por que um homem alcança grande sucesso enquanto outro é um fracasso miserável? Por que alguns palestrantes são excepcionais e famosos enquanto outros são medíocres e impopulares? Por que um homem se sobressai muito em seu trabalho, enquanto outro escravos se afasta toda a vida sem realizar nada digno de nota? Por que um homem é curado de uma doença enquanto outro perece dela? Por que tantas pessoas piedosas, generosas e humildes sofrem agonias no espírito e no corpo às mãos dos condenados? Por que tantas pessoas imorais são bem sucedidas e gozam de perfeita saúde? Por que uma mulher está casada feliz enquanto sua irmã está infeliz e frustrada?

Há respostas para estas perguntas, residindo na mente consciente e inconsciente?

É claro.

Motivação e propósito do livro

Foi o desejo de dar respostas e esclarecimentos às perguntas acima que me motivou a escrever este livro. Eu tentei explicar as grandes verdades da mente na linguagem mais simples possível. Acredito que é perfeitamente possível explicar as leis básicas, fundacionais e fundamentais da vida e da mente na linguagem cotidiana. De fato, você notará que a linguagem utilizada neste livro é aquela que você normalmente encontra nos jornais, no escritório, em casa - em suma, na vida cotidiana. Convido-os a estudar o livro e aplicar as técnicas aqui descritas; ao fazê-lo, estou absolutamente certo de que vocês se encontrarão em posse de um poder quase milagroso que os tirará da confusão, tristeza, melancolia e fracasso, guiando-os ao seu lugar mais verdadeiro, longe de qualquer prisão emocional e física, ajudando-os a resolver dificuldades e a alcançar liberdade, felicidade e serenidade. Este poder de sua mente inconsciente pode curar você de doenças, dando-lhe força vital. Ao aprender a usar seus poderes inerentes, você se libertará dos medos e estará pronto para levar a vida descrita por Paulo como "a gloriosa liberdade dos filhos de Deus".

Como desencadear esta Força Portentosa

A prova mais convincente de nossos poderes inconscientes é, sem dúvida, uma cura pessoal. Há mais de quarenta e dois anos curei uma entidade cancerosa - especificamente, e em termos médicos, um sarcoma - usando o poder curativo de minha mente inconsciente, que foi o que me criou e continua a manter e governar minhas funções vitais. A técnica que apliquei está elaborada neste livro, e estou certo de que ajudará outros a confiarem na Presença Infinita de Cura inerente às profundezas do inconsciente humano. Graças à gentil ajuda de meu amigo médico, cheguei à súbita conclusão de que é natural assumir que a Inteligência Criativa que gerou meus órgãos e todo o meu corpo, e que iniciou o primeiro batimento do meu coração, poderia curar este maligno artefato dele.

Como diz um velho provérbio: "o médico cura as feridas e Deus as cura".

Orações efetivas criam maravilhas

A oração científica é a interação harmoniosa dos níveis consciente e inconsciente da mente, metodicamente direcionada para um propósito específico. Este livro ensina como explorar o poder infinito dentro de nós de uma forma metódica, permitindo que você alcance o que deseja. Você gostaria de uma vida mais feliz, mais saudável, mais rica? Comece a usar este poder milagroso e torne a vida cotidiana mais fácil, resolva problemas comerciais e crie relacionamentos familiares e românticos mais harmoniosos. Leia este livro uma e outra vez, e descubra dentro de suas páginas como esta força maravilhosa funciona e como ativar sua inspiração e sabedoria inerentes. Aprenda as técnicas simples para impressionar a mente inconsciente; siga este novo método que extrai de uma fonte inesgotável. Leia este livro com atenção, sinceridade e amor; experimente por si mesmo as formas maravilhosas que ele pode lhe ajudar. Poderia ser, e acredito que será definitivamente, um ponto de inflexão para sua vida.

Todos nós rezamos

Você sabe como rezar efetivamente? Há quanto tempo você não inclui orações em sua rotina diária? Em emergências, em tempos de perigo, em tempos de doença e quando a morte espreita, as orações fluem copiosamente - para você e seus entes queridos.

Veja, por exemplo, o jornal: não é raro ler sobre nações inteiras unidas em oração por uma criança com uma doença incurável, pela paz mundial ou por um grupo de mineiros presos em uma mina inundada. Em entrevistas, lê-se frequentemente sobre pessoas resgatadas que dizem ter rezado enquanto esperavam pelo resgate, ou pilotos que rezaram enquanto faziam uma aterrissagem de emergência.

É claro que a oração é sem dúvida sempre uma ajuda valiosa em tempos difíceis, mas não há necessidade de esperar por dificuldades para fazer da oração uma parte integrante e construtiva de sua vida. Quando as respostas às orações ressoam, elas fazem as manchetes e se tornam um testemunho da eficácia da oração - mas o que dizer das humildes orações das crianças, das simples ações de graças à mesa de jantar a cada dia, dos momentos devocionais em que se busca simplesmente a comunhão com Deus? Trabalhando com as pessoas, é necessário que eu estude as várias abordagens da oração. Eu experimentei o poder da oração em minha própria vida e falei e trabalhei com muitas pessoas que experimentaram os mesmos efeitos benéficos da oração. Normalmente, o problema é explicar aos outros como se reza. Quando se está em dificuldade, não é fácil pensar e agir racionalmente. Há necessidade de uma fórmula simples a ser seguida, um tipo de modelo de ação que seja prático e específico. E isso muitas vezes leva a lidar com a emergência.

Este livro é único

O que torna este livro único é sua simplicidade e praticidade. As técnicas e fórmulas aqui apresentadas são acessíveis e você pode aplicá-las facilmente à sua rotina diária. Ensino estes processos a homens e mulheres de todo o mundo e recentemente mais de mil pessoas de várias afiliações religiosas participaram de um curso especial em Los Angeles onde apresentei o essencial deste livro. Muitos deles viajaram centenas de quilômetros para assistir a essas aulas. As características especiais deste livro despertarão seu interesse, pois podem lhe mostrar como você às vezes recebe exatamente o oposto do que você reza e pode explicar por quê. Já me perguntaram inúmeras vezes: "Por que tenho rezado incessantemente sem obter uma resposta?"

Neste livro, você pode entender as razões para isto. O livro ilustra as muitas maneiras de imprimir a mente inconsciente e assim obter as respostas certas, tornando-a um objeto valioso e uma ajuda valiosa em tempos difíceis.

Em que você acredita?

Não é o que você acredita que traz respostas às suas orações, mas tais respostas vêm quando a mente inconsciente reage às imagens intelectuais e cognitivas do indivíduo. Este tipo de lei de crença aplica-se a todas as religiões do mundo e é por isso que elas são psicologicamente eficazes. Budistas, cristãos, muçulmanos, judeus... todos recebem respostas a suas preces não em virtude da religião específica nem de rituais, cerimônias, fórmulas, liturgias, encantamentos, sacrifícios ou ofertas - mas somente em virtude de sua crença, aceitação intelectual e receptividade ao que rezam. A lei da vida é a lei da crença, e a crença pode ser resumida como um pensamento em sua mente. O que você pensa, sente ou acredita se traduz em sua condição física, mental e circunstancial. Ter uma metodologia baseada na compreensão de suas ações e seus motivos pode ajudar a criar uma forma de realização inconsciente das coisas boas na vida. Essencialmente, as respostas às nossas orações nada mais são do que a realização dos desejos do nosso coração.

Desejo é oração

Todos desejamos saúde, bem-estar, segurança, tranqüilidade e expressão da verdade, mas nem todos são bem sucedidos. Um professor universitário recentemente me confessou: 'Estou ciente de que se eu mudasse meu padrão de pensamento e redirecionasse minha vida emocional, eu deixaria de ter úlceras'. Mas eu não sei como fazê-lo, não tenho um modus operandi! Minha mente vagueia sem rumo ponderando meus vários problemas e me sinto frustrado, derrotado e infeliz". Este professor desejava saúde, e precisava compreender os padrões mentais que lhe permitissem satisfazer seu desejo. Ao praticar os métodos de cura explicados neste livro, ele foi capaz de curar-se a si mesmo.

Há uma mente comum a todos os indivíduos (Emerson)

A força portentosa da mente inconsciente já existia muito antes de você nascer, muito antes de qualquer igreja ser construída - em resumo, muito antes do mundo que conhecemos hoje. As imensas e eternas verdades conceituais são anteriores a toda religião. Com isto em mente, nos próximos capítulos, convido-os a tirar muito proveito desta força maravilhosa, fascinante e transformadora, que curará as feridas do corpo e do espírito, quebrará os grilhões das mentes aprisionadas pelo medo e os libertará dos laços da pobreza, do fracasso, da infelicidade, das deficiências e da frustração. Tudo que você tem que fazer é unir, de corpo e alma, com o bem que deseja encarnar, e o poder criativo de seu inconsciente reagirá de acordo. Comece hoje, agora! Crie maravilhas em sua vida. Continuar até que todas as sombras sejam varridas.

Capítulo I - A Câmara do Tesouro dentro de você

Há riquezas ilimitadas ao redor, basta abrir seus olhos mentais e admirar os tesouros dentro de você: há uma mina da qual você pode extrair tudo o que precisa para poder viver uma vida esplêndida, alegre e sem falhas. Muitos estão dormindo eternamente, porque não sabem que têm esta mina de Inteligência Infinita e amor sem limites dentro deles. Se você deseja algo, você pode atraí-lo para você. Um pedaço de aço magnetizado pode puxar doze vezes seu próprio peso para si mesmo, mas desmagnetiza-o e não conseguia levantar nem mesmo uma pena. Da mesma forma, existem dois tipos de pessoas: os magnetizados, que confiam em si mesmos e sabem que nasceram para o sucesso; e os desmagnetizados, cheios de dúvidas e medos, que, quando uma oportunidade se apresenta, pensam imediatamente "eu posso falhar, posso perder dinheiro, outros podem rir de mim". Este segundo tipo de pessoa luta para ter sucesso por causa do medo de avançar e, portanto, permanece onde está. Ele se torna uma pessoa magnetizada e revela os mistérios impressionantes de nosso tempo.

O segredo universal de nosso tempo

Em sua opinião, qual é o Segredo Universal de nosso tempo? O segredo da energia nuclear? Energia termonuclear? A bomba de nêutrons? Viagens interplanetárias? Não, nenhuma delas.

Então qual é este segredo? Onde pode ser encontrado e como pode ser contatado e ativado? A resposta é extraordinariamente simples.

Este segredo é a força maravilhosa e milagrosa que está dentro de sua mente inconsciente - provavelmente o último lugar que você pensaria em procurar por ele.

O incrível poder de sua mente inconsciente

Você pode trazer mais poder, mais riqueza, mais saúde, mais bem-estar, mais felicidade e mais alegria em sua vida, aprendendo como contatar e liberar o poder oculto de sua mente inconsciente.

Não é necessário adquirir este poder; você já o possui. O que você precisa aprender é como utilizá-lo, como entendê-lo e como aplicá-lo em todas as áreas de sua vida.

Ao seguir as técnicas e processos simples descritos no livro, você ganhará o conhecimento e a compreensão necessários. Você se sentirá inspirado por uma nova luz e será capaz de gerar uma nova força que lhe permitirá realizar suas esperanças e tornar todos os seus sonhos realidade. Decida agora tornar sua vida grandiosa, rica e mais nobre do que nunca.

Nas profundezas de seu inconsciente está a sabedoria infinita, a força infinita e uma reserva infinita de tudo o que é necessário - eles estão apenas esperando para serem liberados e expressos. Comece agora a reconhecer esses potenciais no fundo de sua mente, e eles tomarão forma no mundo exterior.

A Inteligência Infinita em sua mente inconsciente pode revelar tudo o que você precisa saber em qualquer ponto no tempo e no espaço, desde que você esteja aberto e receptivo. Você pode receber novos pensamentos e idéias que lhe permitirão criar novas invenções, fazer novas descobertas ou escrever livros e peças teatrais. Além disso, a Infinita Inteligência no seu inconsciente será capaz de lhe transmitir um conhecimento maravilhoso de natureza original. Ela pode revelar-se a você e abrir o caminho para a expressão perfeita de sua vida, ajudando-o a encontrar seu verdadeiro lugar.

Através da sabedoria de sua mente inconsciente, você será capaz de atrair o companheiro ideal, o parceiro certo ou parceiro de negócios. Você poderá encontrar o comprador perfeito para a casa que deseja vender e receber o dinheiro necessário para viver como o seu coração deseja.

Descobrir este mundo interior de pensamento, sentimento e força, de luz, amor e beleza, é um direito seu. Apesar de invisível, seus poderes são grandes. Dentro de sua mente inconsciente, você encontrará a solução para cada problema e a causa de cada efeito. Você pode extrair os poderes ocultos; você entra na posse real do poder e da sabedoria necessários para viver uma vida de abundância, segurança, alegria e controle.

Tenho visto o poder do inconsciente tirar as pessoas de estados paralisantes, tornando-as inteiras, vitais e fortes mais uma vez, livres para explorar o mundo para encontrar felicidade, saúde e uma expressão de alegria. Há um poder de cura milagroso em seu inconsciente que pode curar a mente atribulada e o coração partido. Pode quebrar as correntes que aprisionam sua mente e a libertam. Ele pode emancipar você de todos os tipos de escravidão.

Necessidade de uma base de trabalho

Nenhum progresso substancial pode ser feito em qualquer campo ou atividade sem uma base de trabalho que seja universal em sua aplicação. Você se tornará proficiente no funcionamento de sua mente inconsciente, será capaz de exercer seus poderes com certeza de resultados na exata proporção de seu conhecimento de seus princípios e sua aplicação dos mesmos a metas e objetivos definidos e específicos que deseja alcançar.

Tendo trabalhado como químico, eu gostaria de usar um símile neste campo. A combinação de hidrogênio e oxigênio nas proporções de dois átomos do primeiro e um do segundo produzirá água. Você também deve saber que um átomo de oxigênio e um átomo de carbono produzem monóxido de carbono, um gás venenoso. Mas, se você adicionar outro átomo de oxigênio, você obtém dióxido de carbono, um gás inofensivo, e assim por diante em todo o vasto domínio dos compostos químicos.

Os princípios da química, física e matemática não diferem muito dos princípios de sua mente inconsciente. Considere um princípio geralmente aceito: "A água busca seu próprio nível". Este é um princípio universal, que se aplica à água em todos os lugares.

Consideremos outro princípio: "A matéria se expande quando aquecida". Isto é verdade em qualquer lugar, a qualquer momento e em qualquer circunstância. Você pode aquecer um pedaço de aço e ele se expandirá independentemente de o aço estar na China, Inglaterra ou Índia. É uma verdade universal que a matéria se expande quando sujeita ao calor. É também uma verdade universal que tudo o que você imprime em sua mente inconsciente é expresso e 'projetado' na tela do espaço como uma condição, experiência e evento.

Sua oração é respondida porque sua mente inconsciente é princípio, e por princípio me refiro à maneira como algo funciona. Por exemplo, o princípio da eletricidade é que ela funciona a partir de um potencial maior para um potencial menor. Você não muda o princípio da eletricidade ao utilizá-la, mas ao cooperar com a natureza, você pode trazer invenções e descobertas maravilhosas que podem beneficiar a humanidade de inúmeras maneiras.

Sua mente inconsciente é princípio e opera de acordo com a lei da crença. Você precisa saber o que é a crença, por que ela funciona e como funciona. A Bíblia o diz clara e eloqüentemente: Pois em verdade vos digo que, se alguém disser a esta montanha: Sê comovido e lançado ao mar, e não duvidar em seu coração, mas crer que tudo o que ele disser se cumprirá, ser-lhe-á concedido. (Marcos 11:23).

A lei de sua mente é a lei da crença. Isso significa acreditar na forma como sua mente funciona, acreditar na própria crença. A crença de sua mente é o pensamento de sua mente - e isso é simples - apenas isso, e nada mais.

Todas as suas experiências, eventos, condições e comportamento são as reações de sua mente inconsciente aos seus pensamentos. Lembre-se, não é aquilo em que você acredita, mas a crença em sua mente, que leva ao resultado.

Pare de acreditar nas falsas crenças, opiniões, superstições e medos da humanidade. Em vez disso, comecem a acreditar nas verdades eternas da vida, que nunca mudam. Só então você será capaz de avançar, elevando-se e aproximando-se de Deus.

Qualquer pessoa que ler este livro e aplicar os princípios da mente inconsciente aqui expostos será capaz de rezar cientificamente e efetivamente por si e pelos outros. Sua oração será respondida de acordo com a lei universal de ação e reação. O pensamento é ação incipiente, a reação é a resposta de sua mente inconsciente, que corresponde à natureza de seu pensamento. Preencha sua mente com os conceitos de harmonia, saúde, paz e boa vontade e você verá quantas maravilhas acontecerão em sua vida.

A natureza dupla da mente

Você tem uma mente, mas possui duas características distintas, e a linha divisória entre as duas é agora bem conhecida por todos os homens e mulheres conscientes. As duas funções de sua mente são essencialmente diferentes. Cada um tem atributos e poderes distintos e separados. A nomenclatura geralmente usada para distinguir as duas funções da mente é a seguinte: mente objetiva e subjetiva, mente consciente e inconsciente, mente acordada e adormecida, eu superficial e profundo, mente voluntária e involuntária, masculino e feminino - e muitos outros termos. Neste livro, optei por usar os termos "consciente" e "inconsciente" para representar a natureza dual da mente.

Mente Consciente e Mente Inconsciente

Uma ótima maneira de conhecer as duas funções da mente é pensar nela como um jardim. Imagine que você é um jardineiro e está plantando sementes (pensamentos) em sua mente inconsciente o dia inteiro, com base em seu pensamento habitual. O que você semeia em sua mente inconsciente é o que você colherá em seu corpo e em seu entorno.

Comece agora a semear pensamentos de paz, felicidade, ação correta, boa vontade e prosperidade. Pense calmamente e com interesse sobre estas qualidades e aceite-as plenamente em sua mente consciente. Continue plantando estas maravilhosas sementes (pensamentos) no jardim de sua mente e você terá uma colheita gloriosa. Sua mente inconsciente pode ser comparada ao solo que cultivará todos os tipos de sementes, boas ou más. Você vai colher uvas ou espinhos, figos ou cardos? Cada pensamento é, portanto, uma causa, e cada condição é um efeito. Por esta razão, é essencial cuidar dos próprios pensamentos de modo a produzir apenas condições desejáveis.

Quando sua mente pensa corretamente, quando você entende a verdade, quando os pensamentos depositados em sua mente inconsciente são construtivos - é quando a mágica força de trabalho de seu inconsciente responderá harmoniosa e pacificamente e levará a condições harmoniosas, um ambiente agradável e o melhor de tudo. Quando você começa a controlar seus processos de pensamento, você pode aplicar os poderes do inconsciente a qualquer problema ou dificuldade. Em outras palavras, você cooperará conscientemente com o poder infinito e a lei onipotente que rege todas as coisas.

Olhe ao seu redor, onde quer que você esteja, e você notará que a grande maioria da humanidade vive no mundo exterior enquanto as pessoas mais esclarecidas estão intensamente interessadas no mundo interior. Lembre-se, é o mundo interior - ou seja, os pensamentos, sentimentos e imagens - que povoam sua realidade exterior. Este é, portanto, o único poder criativo e tudo em seu mundo de expressão foi criado por você no mundo interior de sua mente, consciente ou inconscientemente.

O conhecimento da interação entre a mente consciente e inconsciente permitirá que você transforme sua vida. Para mudar as condições externas, é necessário mudar a causa. A maioria das pessoas tenta mudar suas condições e circunstâncias trabalhando sobre essas condições e circunstâncias. Para remover a discórdia, confusão, falta e limitação, você tem que remover a causa e a causa é a maneira como você está usando sua mente consciente. Em outras palavras, a maneira como você pensa e imagina em sua mente.

Você vive em um mar insondável de infinitas riquezas. Seu inconsciente é sensível aos seus pensamentos. Estes pensamentos formam a matriz através da qual a Inteligência Infinita, sabedoria, forças vitais e energias de seu inconsciente fluem. A aplicação prática das leis de sua mente, como ilustrado em cada capítulo deste livro, o levará a experimentar abundância para a pobreza, sabedoria para a superstição e ignorância, paz para a tristeza, alegria para a tristeza, luz para a escuridão, harmonia para a discórdia, fé e confiança para o medo, sucesso para o fracasso e liberdade da lei das médias. Sem dúvida, não há benefícios mais maravilhosos do que estes do ponto de vista mental, emocional e material.

A maioria dos grandes cientistas, artistas, poetas, cantores, escritores e inventores tem uma profunda compreensão de como funciona a mente consciente e inconsciente.

Caruso, o grande tenor, uma vez foi atingido pela ansiedade do palco. Ele descreveu ter sua garganta paralisada devido a espasmos causados por um medo intenso, o que lhe apertou os músculos da garganta.

Ele começou a suar profusamente de sua testa. Ele sentiu vergonha porque em poucos minutos deveria estar no palco e, em vez disso, tremia de medo e trepidação. Ele disse: "Eles vão rir de mim". Eu não sei cantar. Então ele gritou para as pessoas nos bastidores: 'O Pequeno Eu quer estrangular o Grande Eu'.

Ele disse ao Pequeno Eu: "Saiam daqui, o Grande Eu quer cantar através de mim.

Pelo Grande Eu, ele quis dizer o poder ilimitado e a sabedoria de sua mente inconsciente. Ele começou a gritar: "Saiam, saiam, o Grande Eu deve cantar".

Sua mente inconsciente respondeu, liberando as forças vitais dentro dele. Quando chegou a hora, ele subiu ao palco e cantou gloriosa e majestosamente, entusiasmando o público.

Parece óbvio que Caruso compreendeu os dois níveis da mente - o nível consciente ou racional, e o nível inconsciente ou irracional. Sua mente inconsciente é reativa e responde à natureza de seus pensamentos. Quando sua mente consciente (o Pequeno Eu) está sob o domínio do medo, da preocupação e da ansiedade, as emoções negativas geradas em sua mente inconsciente (o Grande Eu) são liberadas e inundam a mente consciente com uma sensação de pânico, mau presságio e desespero. Quando isto acontece você pode, como Caruso, falar afirmativamente e com um profundo senso de autoridade para as emoções irracionais geradas em sua mente mais profunda, como a seguir: "Não se mova, não fale, eu estou no controle e você deve me obedecer, você está sujeito ao meu comando, você não pode se intrometer onde não pertence".

Acho fascinante e muito interessante observar como se pode falar com autoridade e convicção sobre o movimento irracional do mais profundo de si mesmo, trazendo silêncio, harmonia e paz à mente. O inconsciente está sujeito à mente consciente, e é por isso que também é chamado de subconsciente.

Principais diferenças e modos de operação

A seguinte cena mostra as principais diferenças: a mente consciente é como o navegador ou o capitão na ponte de um navio. Ele dirige o navio e dá instruções aos homens na casa de máquinas, que por sua vez controlam todas as caldeiras, instrumentos, medidores, etc. Os homens na sala de máquinas não sabem para onde estão indo; eles seguem as ordens. Eles esmagariam as rochas se o homem na ponte desse instruções erradas com base em suas descobertas com a bússola ou outros instrumentos. Os homens na sala de máquinas lhe obedecem porque ele está no comando e dá ordens, que são executadas automaticamente. Os tripulantes não comentam, mas simplesmente executam as ordens.

O capitão é o comandante de seu navio e seus decretos são executados. Da mesma forma, sua mente consciente é o capitão e comandante de seu navio, representando seu corpo e meio ambiente. Sua mente inconsciente recebe as ordens que você dá com base no que sua mente consciente acredita e aceita como verdade.

Quando você repetidamente diz, "não posso pagar", então sua mente inconsciente o leva à sua palavra e se certifica de que você não poderá comprar o que deseja. Enquanto você continuar dizendo: 'Não posso pagar aquele carro, aquela viagem à Europa, aquela casa, aquele vestido caro', você pode ter certeza de que sua mente inconsciente seguirá suas ordens e passará toda sua vida experimentando a falta destas coisas.

Na noite de Natal passada, um belo jovem estudante universitário estava olhando para uma bolsa de viagem fabulosa e bastante cara em uma vitrine de loja. Ela estava a caminho de casa, em Buffalo, para as férias. Ela estava prestes a dizer: 'Não tenho dinheiro para essa bolsa', quando ela se lembrou de algo que tinha ouvido em uma de minhas aulas, que era: 'Nunca termine uma declaração negativa, reverta-a imediatamente, e maravilhas acontecerão em sua vida'.

Então, a garota disse: "Essa bolsa é minha". Está à venda. Eu aceito mentalmente este fato e meu inconsciente fará com que eu o receba".

Às oito horas daquela noite, seu noivo lhe deu uma bolsa exatamente como a que ela havia olhado na janela naquela manhã. A menina tinha enchido sua mente com pensamentos de expectativa e, ao fazê-lo, tinha enviado a situação para sua mente mais profunda, que tem o "know-how" da realização.

Esta jovem, uma estudante da Universidade do Sul da Califórnia, me disse: 'Eu não tinha dinheiro para comprar aquela bolsa, mas agora eu sei onde conseguir o dinheiro e todas as coisas que preciso, e isso está na Sala do Tesouro dentro de mim'.

Outro exemplo simples. Se você diz: 'Eu não gosto de cogumelos' e, por acaso, você recebe cogumelos em molhos ou saladas, você terá uma indigestão porque sua mente inconsciente diz: 'O chefe (sua mente consciente) não gosta de cogumelos'. Este é apenas um exemplo divertido das diferenças notáveis e das maneiras pelas quais sua mente consciente e inconsciente trabalha.

Novamente - uma mulher diz: 'Ele me acordará às três horas da manhã se eu beber café à noite'. Cada vez que ela toma café à noite, portanto, sua mente inconsciente se certifica de acordá-la, já que "o chefe quer acordar às três horas desta noite".

Sua mente inconsciente está trabalhando vinte e quatro horas por dia e cuida de você, derramando os resultados de seu pensamento habitual.

Respostas do inconsciente

Uma mulher me escreveu há alguns meses: "Tenho setenta e cinco anos, sou viúva e tenho uma família adulta. Eu vivo sozinho e com uma pensão. Ouvi suas palestras sobre os poderes da mente inconsciente, nas quais você disse que as idéias poderiam ser transmitidas à mente inconsciente através da repetição, crença e expectativa.

"Comecei a dizer a mim mesmo muitas vezes, com fé: 'Sou procurado'. Sou felizmente casada com um homem bondoso, amoroso e espiritual. Eu estou seguro!

"Continuei fazendo isto muitas vezes ao dia por cerca de duas semanas, e um dia na farmácia atrás da casa fui apresentado a um farmacêutico aposentado. Eu o achei gentil, compreensivo e muito religioso. Ele foi a resposta perfeita às minhas preces. Em uma semana ele me pediu em casamento e agora estamos em lua-de-mel na Europa. Eu sei que a inteligência de minha mente inconsciente nos uniu".

Esta mulher descobriu que o tesouro estava dentro dela. Sua oração foi sentida como verdadeira em seu coração e sua afirmação foi transmitida por osmose em sua mente inconsciente, que é o meio criativo. No momento em que ela foi capaz de realizar uma encarnação subjetiva, sua mente inconsciente trouxe a resposta através da lei da atração. Sua mente mais profunda, cheia de sabedoria e inteligência, os uniu.

Não deixe de pensar em tudo o que é verdadeiro, nobre, justo, puro, amável, honrado, aquilo que é virtude e merecedor de louvor, que tudo isso seja objeto de seus pensamentos. (Filipenses 4:8)

Breve resumo de idéias que vale a pena lembrar

1.
A Câmara do Tesouro está dentro de você. Procure dentro de si a resposta para o desejo de seu coração.

2.
O segredo universal possuído pelos grandes homens de todas as idades não era outro senão sua capacidade de contatar e liberar os poderes de sua mente inconsciente. Você pode fazer a mesma coisa.

3.
Seu inconsciente tem a resposta para todos os problemas. Se você sugerir ao seu inconsciente antes de dormir, "quero me levantar às 6 da manhã", ele o acordará naquele preciso momento.

4.
Sua mente inconsciente é a construtora de seu corpo e pode curá-lo. Adormeça a cada noite com a idéia de saúde perfeita, e sua mente inconsciente, sendo um servo fiel, lhe obedecerá.

5.
Cada pensamento é uma causa e cada condição é um efeito.

6.
Se você quiser escrever um livro, criar uma peça maravilhosa, falar melhor ao seu público, então transmita a idéia com amor e sentimento à sua mente inconsciente, e ela responderá de acordo.

7.

Você é como um capitão que navega com seu navio. Ele tem que dar as instruções certas e, da mesma forma, você tem que dar as instruções certas (pensamentos e imagens) à sua mente inconsciente, que controla e governa todas as suas experiências.

8.

Nunca use as palavras "não posso pagar" ou "não posso fazer isso". Sua mente inconsciente o levará à sua palavra e se certificará de que você não tenha o dinheiro ou a capacidade de fazer o que você quer fazer. Em vez disso, afirmar: "Posso fazer todas as coisas através do poder da minha mente inconsciente".

9.

A lei da vida é a lei da crença. Uma crença é um pensamento em sua mente. Não acredite em coisas que o prejudiquem. Acredite no poder da sua mente para curá-lo, inspirá-lo, fortalecê-lo e prosperá-lo. O que você acredita é no que você receberá.

10.

Mude seus pensamentos e você mudará seu destino.

Capítulo II - Como funciona sua mente

Você tem uma mente e agora só tem que aprender a usá-la. Há dois níveis da mente - o nível consciente ou racional, e o nível inconsciente ou irracional. Você pensa com sua mente consciente, e tudo que você pensa habitualmente se afunda em sua mente inconsciente, o que cria de acordo com a natureza de seus pensamentos. Sua mente inconsciente é a sede de suas emoções e é a mente criativa. Se você pensa em coisas boas, coisas boas vão acontecer, se você pensa em coisas ruins, coisas ruins vão acontecer. É assim que sua mente funciona.

O principal ponto a lembrar é que uma vez que a mente inconsciente aceita uma idéia, ela começa a executá-la. Curiosamente, a lei da mente inconsciente funciona tanto para as boas quanto para as más idéias. Esta lei, quando aplicada negativamente, causa fracasso, frustração e infelicidade. Entretanto, quando seu pensamento habitual for harmonioso e construtivo, você alcançará saúde perfeita, sucesso e prosperidade.

A paz de espírito e a saúde virão quando você começar a pensar e sentir da maneira correta. O que quer que você afirme mentalmente e sinta como verdadeiro, sua mente inconsciente o aceitará e o trará para sua experiência. A única coisa a fazer é fazer sua mente consciente aceitar sua idéia, e a lei de sua mente inconsciente lhe trará a saúde, a paz ou a posição que você deseja. Você dá a ordem, e sua mente inconsciente reproduzirá fielmente a idéia. A lei de sua mente é esta: você terá uma reação ou resposta de sua mente inconsciente, dependendo da natureza do pensamento ou idéia que você tem em sua mente consciente.

Psicólogos e psiquiatras indicam que quando os pensamentos são transmitidos à sua mente inconsciente, as impressões são feitas em suas células cerebrais. Assim que sua mente inconsciente aceita uma idéia, ela passa a colocá-la em prática imediatamente. Ele funciona por associação de idéias e utiliza cada pedaço de conhecimento que você reuniu ao longo de sua vida para realizar seu propósito. Ele se apóia no poder infinito, na energia e na sabedoria dentro de você. Ela alinha todas as leis da natureza para realizar seu propósito. Algumas vezes pode levar a uma solução imediata, enquanto em outras ocasiões pode levar dias, semanas ou mais tempo.... Seus caminhos nos iludem.

Conscientes e inconscientes - Termos e diferenças

Estas não são duas mentes separadas, mas duas esferas de atividade dentro da mesma mente. Sua mente consciente é a parte do raciocínio, aquela fase da mente que faz escolhas. Por exemplo, você escolhe quais livros ler, em que casa viver, com qual parceiro compartilhar sua vida. Todas as suas decisões são tomadas com sua mente consciente. Por outro lado, também é verdade que certos processos físicos como batimento cardíaco, digestão, circulação sanguínea ou respiração ocorrem independentemente do nosso controle consciente.

Sua mente inconsciente aceita o que está impresso nela ou aquilo em que você conscientemente acredita. Ele não explica as coisas como sua mente consciente explica, e não discute com você. Sua mente inconsciente é como a terra, aceitando qualquer tipo de semente, boa ou má. Seus pensamentos são ativos e podem ser comparados a sementes: pensamentos negativos e destrutivos continuam a influenciar negativamente sua mente inconsciente e, no devido tempo, sairão e se manifestarão em uma experiência externa correspondente.

Lembre-se de que não cabe a sua mente inconsciente provar que os pensamentos são bons ou ruins, verdadeiros ou falsos; ela simplesmente responde de acordo com a natureza desses pensamentos ou sugestões. Por exemplo, se você aceitar conscientemente algo como verdadeiro, mesmo que seja falso, sua mente inconsciente o aceitará como verdadeiro e tomará medidas para produzir resultados de acordo.

Experiências de psicólogos

Inúmeras experiências usando hipnose têm mostrado que a mente inconsciente é incapaz de fazer seleções e comparações, fatores-chave no processo de raciocínio. Estas experiências têm mostrado repetidamente que a mente inconsciente aceitará qualquer entrada, mesmo que seja falsa. Uma vez aceito um input, ele responderá de acordo com a natureza desse input.

Para ilustrar a propensão de sua mente inconsciente à sugestão: se um hipnotizador experiente sugere a uma pessoa sob hipnose que ele é Napoleão Bonaparte, ou mesmo um gato ou um cão, essa pessoa desempenhará o papel com absoluta precisão. Sua personalidade muda por enquanto, e ele acreditará ser o que o hipnotizador lhe disser para ser.

Um hipnotizador hábil pode sugerir a um paciente sob hipnose que suas costas têm comichão, a outro que seu nariz está sangrando, a outro que ele é uma estátua de mármore, a outro que ele está congelando e a temperatura está abaixo de zero. Cada um seguirá sua própria sugestão particular, completamente inconsciente de tudo ao seu redor.

Estes exemplos simples retratam claramente a diferença entre o raciocínio consciente e a mente inconsciente, que é impessoal, não seletiva e aceita como verdadeiro tudo o que sua mente consciente considera verdadeiro. Daí a importância de selecionar pensamentos, idéias e premissas que abençoam, curam, inspiram e enchem a alma de alegria.

Esclarecimento da terminologia e da Mente Subjetiva

A mente consciente é às vezes chamada de mente objetiva porque lida com objetos externos. Em resumo, pode-se dizer que a mente objetiva está consciente do mundo objetivo. Seus meios de observação são os cinco sentidos físicos, e é um guia em contato com o ambiente externo.

A mente objetiva aprende através da observação do pensamento, da experiência e da educação. Como já foi apontado anteriormente, a função mais importante da mente objetiva é a do raciocínio.

Suponha que você seja um dos muitos turistas que visitam Los Angeles todos os anos. Você chega à conclusão de que é uma bela cidade, com base em sua observação dos parques, jardins, edifícios majestosos e belas casas. É assim que sua mente objetiva funciona.

Da mesma forma, a mente inconsciente é freqüentemente chamada de mente subjetiva. A mente subjetiva se torna consciente do ambiente através de meios além dos cinco sentidos: a mente subjetiva percebe pela intuição. É a sede das emoções e o depósito da memória. A mente subjetiva desempenha suas funções de forma mais eficaz quando os sentidos objetivos estão em suspensão. Em outras palavras, é essa inteligência que se manifesta quando a mente objetiva está suspensa ou em um estado de sonolência.

A mente subjetiva vê sem o uso dos órgãos naturais da visão. Tem a capacidade de clarividência e clarividência. Ele pode deixar o corpo, viajar para terras distantes e relatar informações que muitas vezes são mais precisas e verdadeiras. Graças à sua mente subjetiva, você pode ler os pensamentos dos outros, ver o conteúdo de envelopes selados e cofres-fortes fechados. A mente subjetiva tem a capacidade de aprender os pensamentos dos outros sem o uso de meios objetivos normais. É da maior importância compreender a interação entre a mente objetiva e a mente subjetiva, a fim de aprender a verdadeira arte da oração.

A mente inconsciente não raciocina como a mente consciente

A mente inconsciente não pode discutir ou debater. Portanto, se você der sugestões erradas, ele as aceitará como verdadeiras e as transmitirá como condições, experiências e eventos. Todas as coisas que aconteceram com você são baseadas em pensamentos impressos em sua mente inconsciente através da fé. Se você transmitiu pensamentos errados à sua mente inconsciente, o método para eliminá-los é a repetição freqüente de pensamentos construtivos e harmoniosos, que sua mente inconsciente aceitará, formando assim novos e saudáveis hábitos de pensamento e vida, porque sua mente inconsciente é a sede do hábito.

O pensamento habitual da mente consciente estabelece ranhuras profundas na mente inconsciente. Isto pode ser de grande benefício para você se seus pensamentos habituais forem positivos e construtivos.

Se, em vez disso, você se permite tornar-se presa do medo, da preocupação e de outras formas destrutivas de pensamento, o remédio é reconhecer a onipotência de sua mente inconsciente e afirmar a coragem, a felicidade e a saúde. Sua mente inconsciente, sendo criativa e em sintonia com sua fonte divina, procederá para criar a coragem, a felicidade e a saúde que você afirmou.

O imenso poder da sugestão

Agora você já deve ter percebido que a mente consciente é uma espécie de "sentinela", e sua principal função é proteger a mente inconsciente de falsas impressões. Agora você está ciente de uma das leis fundamentais da mente: a mente inconsciente é facilmente presa à sugestão. Como você sabe, a mente inconsciente não faz comparações ou contrastes, não raciocina e não pensa independentemente. Esta última função pertence à mente consciente. Ela simplesmente reage às impressões que lhe são transmitidas pela mente consciente. Ele não mostra preferência por um curso de ação em detrimento de outro.

O seguinte é um exemplo clássico do imenso poder da sugestão. Imagine se aproximar de um estranho em um navio e dizer-lhe algo como: "Como você está pálido! Certamente você está sofrendo de enjôo marinho. Deixe-me ajudá-lo a voltar ao seu camarote". O

31

estranho ficará pálido e sua sugestão de enjôo estará associada a seus medos. Ele aceitará sua ajuda e retornará à sua cabine, tendo assim percebido sua sugestão negativa.

Reações diferentes a uma mesma sugestão

Pessoas diferentes têm reações diferentes a uma mesma sugestão, devido a seu condicionamento ou crença subconsciente. Por exemplo, se no mesmo navio, em vez de um passageiro, você vai até um membro da tripulação e diz: "Como você está pálido! Você deve estar sofrendo de enjôo!" este último pode rir, pensando que você está brincando, ou até se ofender. Sua sugestão não encontrou terreno fértil porque a pessoa não a aceitou nem a associou a medos ou preocupações.

Uma sugestão é o ato de imprimir algo na mente de alguém, o processo mental pelo qual o pensamento ou idéia sugerida é impresso, aceito ou posto em ação. Mas deve ser enfatizado que uma sugestão não pode impor algo sobre a mente inconsciente contra a vontade da mente consciente. Em outras palavras, a mente consciente tem o poder de rejeitar a sugestão dada. No segundo caso do exemplo acima, é natural que o marinheiro não tenha medo de velejar e, portanto, sua sugestão negativa não tem absolutamente nenhum poder.

Cada um de nós tem seus próprios medos interiores, crenças e opiniões. Essas suposições internas regulam e regem nossas vidas. Uma sugestão não tem poder em e de si mesma se não for mentalmente aceita.

Você pode perder um braço

A cada dois ou três anos dou uma série de palestras para o Fórum da Verdade de Londres no Caxton Hall. Este é um fórum que eu fundei há vários anos. Dr. Evelyn Fleet, o diretor, me falou uma vez sobre um artigo nos jornais britânicos sobre o poder da sugestão. Esta é a sugestão que um homem deu à sua mente inconsciente durante um período de cerca de dois anos: "Eu daria meu braço direito para que minha filha fosse curada". Aparentemente, sua filha tinha uma forma paralisante de artrite, bem como uma forma incurável de doença de pele. O tratamento médico não conseguiu aliviar a condição, e naturalmente o pai tinha um desejo intenso de que sua filha fosse curada, e ele expressou seu desejo em palavras claras.

O artigo continua dizendo que um dia a família estava no carro quando houve um acidente com outro veículo. O braço direito do pai foi arrancado no ombro e imediatamente desapareceu a artrite e a condição de pele de sua filha.

Você tem que ter certeza de que só dará sugestões inconscientes que irão curar, abençoar, elevar e inspirar você. Lembre-se de que a mente inconsciente não entende piadas e brincadeiras - isso o leva a acreditar em sua palavra.

A auto-sugestão elimina o medo

Autossugestão significa sugerir algo definido e específico para si mesmo. Hebert Parkyn, em seu excelente Manual de Auto-sugestão, usa este exemplo simples: "Um visitante de Nova York a Chicago olha para seu relógio, que ainda está uma hora atrás do horário de Chicago, e diz a um amigo em Chicago que são doze horas. O amigo de Chicago, não considerando a diferença horária entre Chicago e Nova York, diz ao nova-iorquino que ele está com fome e deve ir almoçar".

A auto-sugestão pode ser usada para banir medos e outras condições negativas. Um jovem cantor foi convidado para uma audição. Ela havia esperado ansiosamente por este evento, mas havia falhado em três ocasiões anteriores - precisamente porque ela tinha medo de falhar. Esta garota tinha uma bela voz, mas não parava de dizer a si mesma: "Quando eu estiver na frente deles, talvez eles não gostem de mim". Vou tentar, mas estou cheio de medo e ansiedade".

Sua mente inconsciente interpretou estas auto-sugestão negativas como um pedido e procedeu para manifestá-las e trazê-las à sua experiência. A causa foi a auto-sugestão involuntária, ou seja, pensamentos de medo silenciosos e subjetivos.

A menina foi capaz de superá-la com a seguinte técnica: três vezes ao dia ela se isolava em uma sala, sentada confortavelmente em uma poltrona, relaxando seu corpo e fechando os olhos. Ela acalmou sua mente e seu corpo o melhor que pôde. A inércia física promove a passividade mental e torna a mente mais receptiva à sugestão. Ela contrariou a sugestão do medo dizendo para si mesma: "Estou cantando lindamente, estou em forma, serena, confiante e calma".

Ele repetiu esta afirmação lenta, silenciosa e intensivamente cinco a dez vezes durante cada sessão. Ela realizou três dessas "sessões" todos os dias e uma imediatamente antes de ir dormir. Após uma semana, ela se sentiu pronta e confiante. No dia fatídico, ela fez uma audição extraordinária e maravilhosa.

Refresque sua memória

Uma mulher de setenta e cinco anos costumava dizer a si mesma: "Estou perdendo minha memória". Ela reverteu o procedimento e praticou a auto-sugestão induzida várias vezes ao dia, como a seguir: "Minha memória, a partir de hoje, está melhorando em todos os campos. Sempre me lembrarei de tudo o que preciso saber em todos os momentos e lugares. As impressões recebidas serão mais claras e definidas com mais clareza. Eu os reterei automaticamente e com facilidade. Tudo o que eu quero lembrar se apresentará imediatamente na forma correta em minha mente. Estou melhorando rapidamente a cada dia, e muito em breve minha memória estará melhor do que nunca". Ao final de três semanas, sua memória estava de volta ao normal!

Domesticação do Musaranho

Muitos homens que reclamavam de irritabilidade e mau temperamento mostraram-se muito receptivos à auto-sugestão e alcançaram resultados extraordinários ao usar as seguintes declarações três ou quatro vezes ao dia, de manhã, ao meio-dia e à noite antes de dormir, durante cerca de um mês: "De agora em diante, estarei de bom humor. Alegria, felicidade e alegria estão se tornando estados de ânimo habituais para mim. A cada dia eu me torno cada vez mais gentil, amável e compreensivo. Estou me tornando o foco de alegria e boa vontade para todos aqueles ao meu redor, infectando-os com meu bom humor. Este humor alegre, alegre e alegre está se tornando meu estado de espírito normal e natural, e eu sou grato por isso.

O poder construtivo e destrutivo da sugestão

Alguns exemplos e comentários sobre hetero-sugestão: hetero-sugestão significa sugestão por outra pessoa. Desde tempos imemoriais, o poder da sugestão tem desempenhado um papel fundamental na vida e no pensamento das pessoas em qualquer idade e em qualquer continente. Em muitas partes do mundo, este é o poder de controle da religião.

Este tipo de sugestão pode ser usado para disciplinar e controlar a nós mesmos, mas também pode ser usado para assumir o controle e o comando sobre os outros, que não conhecem as leis da mente. Em sua forma construtiva, ela é uma força maravilhosa e magnífica. Em seus aspectos negativos é um dos mais destrutivos de todos os padrões de resposta da mente, resultando em infelicidade, fracasso, sofrimento, doença e desastre.

Você aceitou um destes?

A partir da infância, a maioria de nós recebeu muitas sugestões negativas. Não sabendo como combatê-los, nós os aceitamos inconscientemente. Aqui estão algumas das sugestões negativas que você pode ter ouvido e aceitado: "Você não pode", "Você não medirá", "Você não deve", "Você falhará", "Você não tem chance", "Você está errado", "Não adianta", "Não importa o que você sabe, mas quem você conhece", "O mundo irá à ruína de qualquer maneira", "Qual é a utilidade, ninguém se importa", "Não adianta tentar tanto", "Você é velho demais", "As coisas estão ficando cada vez piores", "A vida é miséria sem fim", "O amor é para tolos", "Você não pode vencer", "Você logo estará falido", "Cuidado, você vai pegar o vírus", "Você não pode confiar em ninguém", e assim por diante.

A menos que você use autossugestão construtiva, que é, portanto, uma espécie de terapia de recondicionamento, as impressões feitas em você no passado podem causar padrões de comportamento que causam falhas em sua vida pessoal e social. A auto-sugestão é um meio de se libertar da massa de condicionamento verbal negativo que de outra forma poderia distorcer seu padrão de vida, dificultando o desenvolvimento de bons hábitos.

Contraria as sugestões negativas

Pegue o jornal e você poderá ler dezenas de artigos que poderiam semear a futilidade, o medo, a preocupação e a sensação de fracasso iminente. Se aceito, estes pensamentos de medo podem fazer você perder sua vontade de viver. Sabendo que você pode rejeitar todas estas sugestões negativas dando a sua mente inconsciente autosuggestões construtivas, você contraria todas estas idéias destrutivas.

Verifique regularmente as autosugestões negativas que você recebe. Ser influenciado pela heterossugestão destrutiva é evitável. Todos nós sofremos com isso na infância e na adolescência. Se você olhar para trás, você pode facilmente lembrar como pais, amigos, parentes ou professores contribuíram para uma 'campanha' de sugestões negativas. Analise as coisas que lhe foram ditas e você descobrirá que muitas delas foram uma forma de propaganda. O objetivo de muito do que lhe foi dito era controlá-lo.

Este processo de heterossugestão continua em casa, no escritório ou no café. Você notará que muitas destas sugestões se destinam a fazer com que você pense, sinta e aja como outros querem que você pense, sinta e aja em seu benefício.

Uma sugestão nunca matou ninguém... ou matou?

Aqui está outro exemplo de heterossugestão: um parente meu visitou um cartomante na Índia, que lhe disse que ele tinha um "coração ruim" e que morreria na próxima lua nova. Meu parente compartilhou esta previsão com todos os membros da família, e organizou sua vontade.

Esta sugestão poderosa entrou em sua mente inconsciente porque ele a aceitou completamente. Meu parente também disse que este cartomante parecia possuir estranhos poderes ocultos e poderia influenciar muito as pessoas. Este parente morreu como esperado, sem saber que ele era a causa de sua própria morte.

Imagino que muitos de nós já ouvimos histórias semelhantes, rotulando-as como superstições estúpidas e ridículas. Vejamos agora o que aconteceu à luz de nosso conhecimento de como a mente inconsciente funciona. Qualquer que seja a mente consciente e racional do homem, ela será aceita pela mente inconsciente, que agirá de acordo. Meu parente estava feliz, saudável e robusto quando ele visitou o cartomante. Ela lhe deu uma sugestão muito negativa, que ele aceitou.

Ele se assustou e se fixou no fato de que seria na lua nova seguinte. Ele continuou contando a todos sobre isso e se preparou para o fim. A atividade ocorreu em sua mente e seu pensamento foi a causa disso. Isso levou à sua chamada morte, ou melhor, à destruição de seu corpo físico, por medo e expectativa do fim.

A mulher que previu sua morte não tinha mais poder do que pedras no chão e paus em uma floresta. Sua sugestão não tinha poder para criar ou trazer o fim que ela havia sugerido. Se ele tivesse conhecido as leis de sua mente, ele teria rejeitado completamente a sugestão negativa e se recusado a ouvir as palavras do vidente, sabendo em seu coração que ele era governado e controlado por seus próprios pensamentos. Como flechas de lata atiradas em uma parede de pedra sólida, a profecia poderia ter sido completamente neutralizada, sem sequer machucá-lo.

As sugestões dos outros em si não têm absolutamente nenhum poder sobre você, exceto o poder que você lhes dá, através de seus pensamentos. Você tem que dar seu consentimento mental - ele se torna seu pensamento, e você está no controle. Lembre-se, você possui dentro de você a capacidade de escolher. Escolha a vida! Escolha o amor! Escolha a saúde! Escolha a abundância!

Uma premissa poderosa

A mente funciona como um silogismo: se sua mente consciente toma uma premissa, isto faz com que sua mente inconsciente chegue a uma conclusão - isto se aplica a qualquer questão ou problema em sua mente. Se a premissa for verdadeira, a conclusão deve ser verdadeira, como no exemplo abaixo:

Toda virtude é louvável

A bondade é uma virtude

Portanto, a gentileza é louvável

Outro exemplo:

Todas as coisas feitas pelo homem mudam e morrem

As pirâmides do Egito são coisas feitas pelo homem

Assim, um dia, as pirâmides mudarão e passarão

A primeira afirmação é referida como a premissa principal, e a conclusão correta deve necessariamente seguir a premissa correta.

Um professor universitário, que participou de algumas de minhas palestras sobre a ciência da mente em maio de 1962 em Nova York, me disse: "Tudo na minha vida é inconstante, e eu perdi saúde, riqueza e amigos. Tudo em que toco acaba por ser errado".

Expliquei que ele teria que estabelecer uma premissa importante em seu pensamento, que a Inteligência Infinita de sua mente inconsciente o guiaria, dirigiria e faria prosperar espiritual, mental e materialmente. Então, sua mente inconsciente o direcionaria automática e sabiamente em seus investimentos, decisões e até mesmo curar seu corpo e restaurar a paz e serenidade de sua mente.

Este professor formulou um esboço geral da maneira como ele queria que sua vida fosse, e esta foi sua premissa principal: "A inteligência infinita me guia. Terei saúde perfeita e a Lei da Harmonia funciona em minha mente e em meu corpo. Poderei me valer da beleza, do amor, da paz e da abundância. O princípio da ação correta e da ordem divina rege toda a minha vida. Sei que minha principal premissa se baseia nas verdades eternas da vida e sei, sinto e acredito que minha mente inconsciente responderá de acordo com a natureza do meu pensamento consciente.

Ele então me escreveu: "Eu repeti estas afirmações calma e intensamente várias vezes ao dia, sabendo que elas estavam afundando profundamente em minha mente inconsciente, e que os resultados viriam. Estou profundamente grato por seus conselhos e gostaria de acrescentar que todas as áreas da minha vida estão mudando para melhor. Funciona"!

O inconsciente não discute

Sua mente inconsciente conhece as respostas a todas as perguntas. Não irá discutir com você ou responder-lhe. Ele não dirá: "Você não deve me impressionar com isto". Por exemplo, quando você diz: 'não posso fazer isso', 'estou muito velho agora', 'não posso cumprir esta obrigação', 'nasci do lado errado da cidade', 'não conheço o político certo', você está treinando sua mente inconsciente com estes pensamentos negativos e ela responderá de acordo. Desta forma, você está bloqueando seu próprio bem-estar, trazendo assim falta, limitação e frustração em sua vida.

Quando você cria obstáculos, impedimentos e atrasos em sua mente consciente, você bloqueia a sabedoria e inteligência que reside em sua mente inconsciente. É como se você estivesse dizendo que sua mente inconsciente não pode resolver seu problema. Isto leva ao congestionamento mental e emocional, seguido por doenças e tendências neuróticas. Para realizar seu desejo e superar a frustração, diga ousadamente várias vezes ao dia: "A Inteligência Infinita, que me deu esse desejo, me guia e me revela o plano perfeito para o desdobramento de meu desejo. Sei que a profunda sabedoria do meu inconsciente está agora respondendo e o que sinto e reivindico dentro de mim se expressa no exterior. Há equilíbrio".

Quando você diz: 'Não há saída, estou perdido; não há saída para este dilema; estou preso', você não obterá uma resposta de sua mente inconsciente. Se você quiser que o inconsciente trabalhe para você, você terá que fazer o pedido correto e terá sua cooperação. Está sempre trabalhando para você: ele controla seu batimento cardíaco e sua respiração ao mesmo tempo. Sua tendência é para a vida, ela está sempre tentando cuidar de você e preservá-lo. Seu inconsciente tem uma mente própria, mas aceita seus padrões de pensamento e imagens.

Quando você procura uma resposta para um problema, sua mente inconsciente responderá, mas espera que você tome uma decisão e um julgamento em sua mente consciente. Você tem que reconhecer que a resposta está em sua mente inconsciente. Entretanto, se você disser: "Acho que não há uma saída; estou confuso; por que não estou obtendo uma resposta", você vai contrapor sua oração de uma maneira contraproducente.

Relaxar e afirmar calmamente: "Meu inconsciente sabe a resposta. Está me respondendo agora. Dou graças porque sei que a infinita inteligência do meu inconsciente conhece todas as coisas e me revela a resposta perfeita. Minha verdadeira crença é liberar a glória de minha mente inconsciente. Eu me alegro por ser assim".

Vamos recapitular os pontos mais importantes

1.

Pense numa coisa boa, e coisas boas acontecerão. Pense uma coisa ruim, e coisas ruins acontecerão. Você é o que você pensa.

2.

Sua mente inconsciente não discute com você, mas aceita as direções de sua mente consciente. Se você diz: "Eu não posso pagar", isso pode ser verdade, mas não o diga. Escolha um pensamento melhor, tal como "eu vou comprar, eu aceito em minha mente".

3.

Você tem o poder de escolher. Você escolhe a saúde e a felicidade. Você pode optar por ser amigável ou pode optar por ser hostil. Escolha ser cooperativo, alegre, amigável e o mundo inteiro responderá. Esta é a melhor maneira de desenvolver uma personalidade maravilhosa.

4.

Sua mente consciente é uma espécie de "sentinela". Sua principal função é proteger sua mente inconsciente de falsas impressões. Você escolhe acreditar que algo bom pode e está acontecendo. Seu maior poder é seu poder de escolha. Escolha a felicidade e a abundância.

5.

As sugestões e declarações de outros não têm o poder de prejudicá-lo. O único poder está em seu próprio pensamento. Você pode optar por rejeitar os pensamentos ou declarações de outros e afirmar o bem. Você tem o poder de escolher como você reage.

6.

Cuidado com o que você diz e acostume-se a prestar contas de cada palavra. Nunca diga: 'Vou à falência, vou perder meu emprego, não posso pagar o aluguel'. Além disso, seu inconsciente não entende anedotas e piadas.

7.

Sua mente não é má. Nenhuma força da natureza é maligna. Depende de como você utiliza os poderes da natureza. Use sua mente para abençoar, curar e inspirar.

8.

Nunca diga: "Não posso". Superar este medo substituindo esta afirmação por algo como: "Eu posso fazer todas as coisas através do poder da minha mente inconsciente".

9.

Comece a pensar a partir da perspectiva das verdades eternas e dos princípios da vida e não da perspectiva do medo, da ignorância e da superstição. Não deixe que outros moldem seu pensamento para você. Escolha seus próprios pensamentos e tome suas próprias decisões.

10.

Você é o capitão do navio que é sua alma (entendido como a mente inconsciente) e o mestre de seu destino. Lembre-se, você tem a capacidade de escolher. Escolha a vida! Escolha o amor! Escolha a saúde! Escolha a felicidade!

11.

O que for tomado como verdade e aceito por sua mente consciente será aceito e realizado por sua mente inconsciente, o que o levará ao seu cumprimento. Acredite na boa sorte, na orientação divina, nas ações corretas.

Capítulo III - A Força Portentosa de sua Inconsciência

O poder do seu inconsciente é enorme. Ele o inspira, o guia, traz nomes, imagens e eventos do armazém da memória. A mente inconsciente controla o batimento cardíaco, a circulação sanguínea, regula a digestão, a assimilação e a eliminação. Quando se come um pedaço de pão, a mente inconsciente o transforma em tecido, músculo, osso e sangue. Este processo é o mesmo para cada pessoa. Sua mente inconsciente controla todos os processos e funções vitais de seu corpo e conhece a resposta para todos os problemas.

Sua mente inconsciente nunca dorme, e nunca descansa. Está sempre em ação. Você pode descobrir o poder milagroso de sua mente inconsciente declarando claramente que deseja que uma determinada coisa seja alcançada. Você ficará feliz em descobrir que as forças dentro de você serão 'liberadas', levando ao resultado desejado. Você terá então uma fonte de poder e sabedoria que o colocará em contato com a onipotência, o poder que move o mundo, guia os planetas e faz o sol brilhar.

Sua mente inconsciente é a fonte de seus ideais, aspirações e impulsos altruístas. Foi através da mente inconsciente que Shakespeare percebeu grandes verdades escondidas do homem comum de seu tempo. Sem dúvida, foi a resposta de sua mente inconsciente que levou o escultor grego Phidias a descrever a beleza, a ordem, a simetria e a proporção em mármore e bronze. Ele permitiu a Raphael pintar belas madonas e Ludwig van Beethoven compor sinfonias inesquecíveis.

Em 1955 dei uma palestra na Universidade Florestal de Yoga, Rishikesh, Índia, e lá falei com um cirurgião em visita a Bombaim. Ele me falou do Dr. James Esdaille, um cirurgião escocês, que trabalhou em Bengala antes da descoberta do éter ou de outros métodos modernos de anestesia. Entre 1843 e 1846, o Dr. Esdaille realizou cerca de quatrocentas operações importantes nos olhos, ouvidos e garganta. Todas as operações foram realizadas utilizando apenas anestesia mental. O médico de Rishikesh me informou que a taxa de mortalidade pós-operatória dos pacientes operados pelo Dr Esdaille era extremamente baixa, provavelmente em torno de dois ou três por cento. Os pacientes não sentiram dor e não houve mortes durante as operações.

O Dr Esdaille sugeriu à mente inconsciente de todos os seus pacientes, que estavam em estado hipnótico, que nenhuma infecção ou condição séptica se desenvolveria. Lembramos que isso foi antes de Louis Pasteur, Joseph Lister e outros enfatizarem a origem bacteriana da doença e as causas da infecção por organismos não estéreis.

O médico indiano me disse que a razão para a baixa taxa de mortalidade e ausência geral de infecção era sem dúvida devido às sugestões do Dr Esdaille às mentes inconscientes de seus pacientes, que responderam de acordo com a natureza de sua sugestão.

É simplesmente maravilhoso pensar que um cirurgião, há mais de um século, descobriu os poderes miraculosos da mente inconsciente. Você não sente também uma espécie de admiração mística quando faz uma pausa para pensar nos poderes transcendentais de sua mente inconsciente? Considere que suas percepções extra-sensoriais, tais como sua capacidade de clarividência e clarividência, sua independência de tempo e espaço, sua capacidade de libertá-lo de toda dor e sofrimento, e sua capacidade de obter a resposta para todos os problemas são poderosas. Eventos como este lhe revelarão que há um poder e uma inteligência dentro de você que transcende em muito seu intelecto. Todas essas experiências farão você se regozijar e acreditar no poder milagroso de sua mente inconsciente.

Seu inconsciente é o livro de sua vida

Quaisquer que sejam os pensamentos, crenças, opiniões, teorias ou dogmas que você escreva, grave ou imprima em sua mente inconsciente, você os experimentará como manifestações objetivas de circunstâncias, condições e eventos. O que você pensa por dentro, você vai experimentar por fora. Você tem dois lados em sua vida, objetivo e subjetivo, visível e invisível, pensamento e sua manifestação.

Seu pensamento é recebido pelo cérebro, que é o órgão da mente raciocinadora consciente. Quando a mente consciente ou objetiva aceita plenamente o pensamento, ele é enviado ao cérebro, onde ele toma forma e se manifesta em sua experiência.

Como descrito acima, seu inconsciente não pode discutir ou debater. Ela só age com base no que você pensa. Aceita as conclusões de sua mente consciente como definitivas. É por isso que você está sempre escrevendo o livro de sua vida, à medida que seus pensamentos se tornam suas experiências. O ensaísta americano Ralph Waldo Emerson disse: "O homem é o que ele pensa".

O que você imprime no inconsciente é expresso

William James, o pai da psicologia americana, disse que o poder de mover o mundo está nas mãos da mente inconsciente. A mente inconsciente possui inteligência e sabedoria infinitas. Ela é alimentada por fontes ocultas - a lei da vida. O que quer que você imprima em sua mente inconsciente, isso o fará perceber. Você deve, portanto, dar impressões de idéias corretas e pensamentos construtivos.

A razão pela qual há tanto caos e infelicidade no mundo é porque as pessoas não compreendem a interação entre sua consciência e sua mente inconsciente. Quando estes dois princípios funcionam em harmonia e sincronia, você obtém saúde, felicidade, paz e alegria. Não há doença ou discórdia quando os conscientes e inconscientes trabalham juntos.

O túmulo de Hermes foi aberto com grande antecipação e trepidação porque se acreditava conter o maior segredo de nosso tempo. O segredo era como dentro, como fora; como acima, como abaixo.

Em outras palavras, tudo que está impresso em sua mente

inconsciente é expresso na tela do espaço. Esta mesma verdade foi proclamada por Moisés, Isaías, Jesus, Buda, Zoroastro, Laotze e por todos os videntes iluminados dos tempos. Tudo o que você sente como subjetivamente verdadeiro é expresso como condições, experiências e eventos. O pensamento e a emoção devem estar em equilíbrio. Como no céu (sua mente), assim na terra (em seu corpo e em seu ambiente). Esta é a grande lei da vida.

Em qualquer manifestação natural pode-se encontrar a lei de ação e reação, de repouso e movimento. Estes dois devem estar em equilíbrio, só então haverá harmonia. A aspiração e a realização devem ser iguais. A impressão e a expressão devem ser iguais.

Toda sua frustração se deve a um desejo não satisfeito: se você pensa negativamente, destrutivamente e com raiva, estes pensamentos geram emoções destrutivas, que devem ser expressas e encontrar uma saída.

Essas emoções, sendo de natureza negativa, são muitas vezes expressas como úlceras, queixas cardíacas, tensão e ansiedade.

Qual é a sua idéia de si mesmo? Cada parte de seu ser expressa essa idéia. Sua vitalidade, seu corpo, sua situação financeira, seus amigos e sua situação social são um reflexo perfeito de sua idéia de si mesmo. Este é o verdadeiro significado do que está impresso em sua mente inconsciente e é expresso em todas as fases de sua vida.

Nós nos prejudicamos com as idéias negativas que entretemos. Quantas vezes você já se machucou ao ficar com raiva, medo, ciúmes ou vingativas? Estes não são nada além de venenos que entram em sua mente inconsciente. Você não nasceu com essas atitudes negativas. Deixe seus pensamentos positivos florescerem em sua mente inconsciente e você apagará toda a negatividade. Continue fazendo isso, e a negatividade do passado também será apagada e neutralizada.

O inconsciente pode curar

Uma cura é a prova mais convincente do poder de cura da mente inconsciente. Há mais de quarenta anos, resolvi um tumor de pele maligno através da oração. A terapia médica não tinha conseguido resolver este tumor, e ele estava ficando progressivamente pior.

Um clérigo, com profundo conhecimento de psicologia, me explicou o significado intrínseco do 139° Salmo que diz: "Ainda os teus olhos não se formaram, e tudo estava escrito em teu livro; meus dias estavam fixos, quando ainda não havia nenhum. Ele explicou que o termo "livro" indica minha mente inconsciente, que molda todos os meus órgãos a partir de uma célula invisível. Ele também ressaltou que assim como minha mente inconsciente criou meu corpo, ele também pode recriá-lo e curá-lo de acordo com o padrão perfeito que se segue.

Naquele momento ele me mostrou seu relógio e disse: 'Este relógio tem um criador, e o relojoeiro tinha a idéia em mente antes que o relógio se tornasse uma realidade objetiva, e quando o relógio não funciona, o relojoeiro pode consertá-lo'. Meu amigo me lembrou que a inteligência inconsciente que criou meu corpo é como um relojoeiro, e sabe exatamente como curar, restaurar e dirigir todas as funções e processos vitais do meu corpo, mas que eu tinha que dar a ele a idéia perfeita de saúde como entrada. Isso atuaria como causa e o efeito seria a cura.

Rezei muito simplesmente: "Meu corpo e todos os seus órgãos foram criados pela inteligência infinita de minha mente inconsciente. Ela sabe como me curar, sua sabedoria moldou todos os meus órgãos, tecidos, músculos e ossos. Esta infinita presença de cura dentro de mim está transformando cada átomo do meu ser, tornando-me inteiro e perfeito neste exato momento. Dou graças pela cura que sei que está acontecendo agora. Maravilhosas são as obras da inteligência criativa dentro de mim.

Rezei em voz alta durante cerca de cinco minutos, duas ou três vezes ao dia, repetindo a oração simples acima. Em cerca de três meses, minha pele estava de volta intacta e perfeita.

Como você pode ver, tudo o que fiz foi dar à minha mente inconsciente modelos de totalidade, beleza e perfeição que davam vida, eliminando assim as imagens negativas e os padrões de pensamento que estavam em minha mente inconsciente, que foram a causa de todos os meus problemas. Nada aparece em seu corpo a menos que o equivalente mental seja formado pela primeira vez em sua mente, e quando você muda de idéia imbuindo-o de afirmações, você também mudará seu corpo. Esta é a base de toda cura... seus trabalhos são maravilhosos, você (mente inconsciente) me conhece até o âmago. Salmo 139:14.

O inconsciente controla todas as funções corporais

Enquanto você está acordado ou dormindo, a ação incessante da mente inconsciente controla todos os órgãos vitais de seu corpo sem a ajuda de sua mente consciente. Por exemplo, enquanto você dorme seu coração continua a bater, seus pulmões não param, e estes processos continuam exatamente como quando você está acordado. Sua mente inconsciente controla os processos digestivos e as secreções glandulares, assim como todas as outras operações involuntárias de seu corpo. Cabelos e cabelos continuam a crescer quer você esteja dormindo ou desperto. Os cientistas nos dizem que a pele segrega muito mais suor durante o sono do que durante as horas de vigília. Seus olhos, ouvidos e outros sentidos são ativos durante o sono.

Muitos grandes cientistas de nosso tempo dizem ter recebido respostas a problemas complexos enquanto dormiam. Eles viram as respostas em um sonho.

Muitas vezes sua mente consciente interfere com o ritmo normal de seu coração, pulmões e o funcionamento de seu estômago e intestinos através da preocupação, ansiedade, medo e depressão. Estes padrões de pensamento interferem com o funcionamento harmonioso de sua mente inconsciente. Quando você está mentalmente perturbado, o melhor procedimento é deixar ir, relaxar e deixar seus processos de pensamento correrem livremente. Fale com sua mente inconsciente, dizendo-lhe para agir em paz, harmonia e por ordem divina. Você descobrirá que todas as funções de seu corpo voltarão ao normal. Certifique-se de falar com a mente inconsciente com autoridade e convicção, e ela seguirá seu comando.

Seu inconsciente procura preservar sua vida e trazê-lo de volta à saúde a qualquer custo. Faz você amar seus filhos, e isto também demonstra o desejo instintivo de preservar a vida. Suponha que você tenha comido acidentalmente algum alimento vencido. Sua mente inconsciente o regurgitaria. Se você ingerir inadvertidamente veneno, seus poderes inconscientes procederão para neutralizá-lo. Se você confiar completamente em seu incrível poder, você estará completamente são.

Faça o inconsciente trabalhar para você

A primeira coisa a entender é que sua mente inconsciente está sempre trabalhando. É ativo dia e noite, quer você aja ou não. Sua mente inconsciente é o construtor de seu corpo, mas você não pode perceber ou sentir conscientemente esse processo interno. Seu 'negócio' é com sua mente consciente, não com sua mente inconsciente. Apenas mantenha sua mente consciente ocupada com a expectativa do melhor e certifique-se de que seus pensamentos habituais estejam baseados no que for belo, verdadeiro, certo e bom. Comece agora a cuidar de sua mente consciente, sabendo que ela sempre se expressa, se reproduz e se manifesta de acordo com seu pensamento habitual.

Assim como a água toma a forma da tubulação pela qual ela flui, o princípio de vida em você flui e toma forma de acordo com a natureza de seus pensamentos. Afirmar que a presença curativa em seu inconsciente flui através de você como harmonia, saúde, paz, alegria e abundância. Pense nisso como uma inteligência viva, um companheiro perpétuo, mas agradável. Acredite que ela está constantemente fluindo através de você, inspirando e prosperando você. Ele responderá exatamente desta maneira.

O poder curativo do inconsciente restaura os nervos ópticos atrofiados

Na França, há um caso conhecido e verificado envolvendo Madame Bire, registrado nos arquivos do departamento médico de Lourdes. Ela era cega, seus nervos ópticos estavam atrofiados e inúteis. Madame Bire visitou Lourdes e teve o que ela chamou de uma recuperação milagrosa. Ruth Cranston, uma crente protestante que investigou e escreveu sobre as curas em Lourdes na revista McCall's em novembro de 1955, escreve sobre Madame Bire da seguinte forma: "Em Lourdes ela recuperou incrivelmente a visão, com os nervos ópticos ainda sem vida e inúteis, como vários médicos puderam testemunhar após repetidos exames. Um mês depois, uma reavaliação mostrou que o mecanismo de visão havia sido restaurado. Mas no início, de acordo com o exame médico, a mulher viu com "olhos mortos".

Visitei Lourdes várias vezes, onde também testemunhei algumas curas e, naturalmente, como explicaremos no próximo capítulo, não há dúvida de que as curas acontecem em muitos santuários ao redor do mundo, tanto cristãos como não-cristãos.

Madame Bire, à qual acabamos de nos referir, não foi curada pelas águas do santuário, mas por sua própria mente inconsciente, que respondeu a sua crença. O princípio de cura em sua mente inconsciente respondeu à natureza de seu pensamento. Crença é apenas um pensamento na mente inconsciente; significa aceitar algo como verdadeiro. O pensamento aceito é executado automaticamente. Sem dúvida, Madame Bire foi ao santuário com grandes expectativas e forte fé, sabendo em seu coração que iria receber a cura. Sua mente inconsciente, que criou o olho, pode certamente trazer um nervo morto de volta à vida. O que o princípio

50

criativo criou pode ser regenerado. Aquilo em que você acredita, acontecerá.

Como transmitir a idéia de saúde perfeita à sua mente inconsciente

Um padre protestante que conheci em Joanesburgo, África do Sul, me explicou o método que ele utilizava para transmitir a idéia de saúde perfeita à sua mente inconsciente. Ele tinha adoecido com câncer de pulmão. Sua técnica é esta, e eu a cito exatamente como ele a escreveu: "Várias vezes ao dia eu me assegurava de estar completamente relaxado mental e fisicamente". Eu relaxaria meu corpo falando com ele e dizendo "meu coração e pulmões estão relaxados, minha mente está relaxada, todo o meu ser está completamente relaxado". Após cerca de cinco minutos eu me vi em estado de sonolência, e então afirmei a seguinte verdade: "A perfeição de Deus está agora se expressando através de mim. A idéia de saúde perfeita está agora preenchendo minha mente inconsciente. A imagem de Deus de mim é uma imagem perfeita, e minha mente inconsciente está recriando meu corpo em perfeita harmonia com a imagem perfeita mantida na mente de Deus". Este padre teve uma cura notável, e esta é uma maneira fácil de transmitir a idéia de saúde perfeita à sua mente inconsciente.

Outra maneira de transmitir a idéia de saúde a sua mente inconsciente é através de uma imaginação disciplinada ou científica. Eu disse a um homem que sofria de paralisia funcional para criar uma imagem vívida de si mesmo andando em seu escritório, tocando sua mesa, atendendo o telefone e fazendo todas as coisas que ele normalmente faria se estivesse curado. Expliquei-lhe que esta idéia e esta imagem mental de perfeita saúde seria aceita por sua mente inconsciente. O homem seguiu meu conselho e se imaginou de volta ao escritório. Ele sabia que estava dando à sua mente inconsciente algo definitivo para trabalhar. Sua mente inconsciente foi o filme no qual a imagem foi impressa.

Um dia, após várias semanas de freqüentes condicionamentos da mente com esta imagem mental, o telefone de serviço no quarto do hospital tocou e continuou tocando enquanto sua esposa e a enfermeira estavam do lado de fora. O telefone estava a cerca de doze metros de distância, mas mesmo assim o homem conseguiu atendê-lo. O poder de cura de sua mente inconsciente respondeu e a cura se seguiu.

Este homem tinha um bloqueio mental que impedia os impulsos de seu cérebro de alcançar suas pernas; portanto, ele parou de andar. Quando ele mudou sua atenção para o poder de cura dentro dele, o poder começou a fluir através de sua atenção focalizada, permitindo que ele andasse. E tudo o que você pede em oração, se você tiver fé, você obterá. Mateus 21:22.

Idéias a ter em mente

1.
Sua mente inconsciente controla todos os processos vitais em seu corpo e sabe a resposta para todos os problemas.

2.
Antes de dormir, dirija um pedido específico à sua mente inconsciente e descubra seu poder miraculoso.

3.
Tudo o que você imprime em sua mente inconsciente é expresso na tela do espaço como condições, experiências e eventos. Portanto, é bom olhar cuidadosamente todas as idéias e pensamentos entretidos em sua mente consciente.

4.
A lei de ação e reação é universal. Seu pensamento é ação e reação é a resposta automática de sua mente inconsciente ao seu pensamento. Cuidado com o que pensa!

5.
Toda a frustração é devida a desejos não realizados. Se você se deter em obstáculos, atrasos e dificuldades, sua mente inconsciente responde de acordo e você bloqueia sua própria vantagem.

6.
O Princípio de Vida flui rítmica e harmoniosamente dentro de nós

se afirmarmos conscientemente: "Acredito que o poder inconsciente, que me deu este desejo, está agora realizando-o através de mim". Isto dissolve todos os conflitos.

7.

Você pode interferir com o ritmo normal do coração, pulmões e outros órgãos com preocupação, ansiedade e medo. Alimente seu inconsciente com pensamentos de harmonia, saúde e paz e todas as funções de seu corpo voltarão ao normal.

8.

Mantenha sua mente consciente ocupada com a expectativa do melhor e seu inconsciente irá reproduzi-la fielmente em seu pensamento habitual.

9.

Imagine o final feliz ou a solução para seu problema, sinta a realização dentro de você - e o que você imagina e sente será aceito por sua mente inconsciente.

Capítulo IV - Curas para a Mente da Antiguidade

Ao longo dos tempos, as pessoas de todas as nações acreditaram instintivamente, de alguma forma, que em algum lugar havia um poder de cura que restauraria as funções e sensações do corpo ao normal. Eles acreditavam que este estranho poder poderia ser invocado sob certas condições e resultaria no alívio do sofrimento humano. A história de todas as nações apresenta evidências para apoiar esta crença.

Nos primeiros tempos, acreditava-se que sacerdotes e homens santos tinham o poder de influenciar secretamente os homens para o bem ou para o mal, incluindo a cura dos doentes. A cura dos doentes deveria ser um poder derivado diretamente de Deus e os procedimentos de cura variavam em todo o mundo. Os processos de cura tomaram a forma de orações a Deus e várias cerimônias, tais como encantamentos, o uso de amuletos, talismãs, anéis, relíquias e imagens.

Por exemplo, nas religiões da antiguidade, os sacerdotes do templo davam medicamentos aos pacientes e praticavam sugestões hipnóticas antes de colocá-los para dormir, dizendo-lhes que os deuses os visitariam durante o sono e os curariam. Muitas curas realmente se seguiram. Obviamente, tudo isso foi um trabalho de sugestões poderosas para a mente inconsciente.

Depois de realizar certos rituais misteriosos, os devotos de Hecate veriam a deusa em seu sono, desde que, antes de dormir, tivessem rezado a ela de acordo com instruções específicas. Foi-lhes dito para misturar lagartos com resina, incenso e mirra, e para colocar esta mistura ao ar livre sob a lua nova. Foram relatadas curas em muitos casos como resultado deste procedimento um tanto estranho.

É óbvio que estes procedimentos, como mencionado nos exemplos, encorajaram a sugestão e aceitação pela mente inconsciente destas pessoas, criando um forte apelo à sua imaginação. De fato, em todas essas curas, a mente inconsciente do sujeito era o verdadeiro curandeiro.

Em todas as idades, os curandeiros não-oficiais alcançaram resultados notáveis nos casos em que a habilidade médica oficial falhou. Para mim, isto é um alimento para reflexão. Como esses curandeiros, em todas as partes do mundo, conseguiram curas? A resposta está na fé cega do paciente, que liberou o poder curativo residente em sua mente inconsciente. Muitos dos remédios e métodos utilizados eram bastante estranhos e peculiares, devemos admitir, e certamente desafiaram a imaginação dos pacientes, provocando um estado emocional de excitação. Este estado facilitou a sugestão de saúde, e foi aceito tanto pela consciência quanto pela mente inconsciente do paciente. Este ponto será explorado mais adiante no próximo capítulo.

Histórias bíblicas sobre o uso dos poderes da mente inconsciente

Tudo o que pedirdes em oração, acreditai que as recebestes e as obtereis. Marcos 11:24.

Observe a diferença nos tempos verbais. Escritores inspirados nos dizem para acreditar e aceitar como verdadeiro o fato de que nosso desejo já foi realizado, completado, e que a realização se seguirá como uma coisa no futuro.

O sucesso desta técnica depende da crença de que o pensamento, a idéia, a imagem já é um fato na mente. Para que algo seja realizado no reino da mente, deve ser pensado como algo realmente existente.

Aqui, em algumas palavras crípticas, é clara e específica a direção de como utilizar o poder criativo do pensamento, imprimindo no inconsciente o desejo particular. Seu pensamento, idéia ou propósito

56

é tão real em seu próprio plano quanto sua mão ou coração. Ao seguir a técnica bíblica, você tira de sua mente toda a importância das condições, circunstâncias ou qualquer coisa que possa implicar em contingências adversas. Você está plantando uma semente (conceito) em sua mente que, se não for perturbada, brotará em um belo fruto externo.

A condição mais importante na qual Jesus insistiu foi a fé. Lemos muitas vezes na Bíblia: "O que você tem fé na vontade será feito a você". Se você planta um determinado tipo de semente, você tem fé que um fruto correspondente crescerá. Esta é a lógica das sementes, e confiando nas leis do crescimento e da agricultura, sabe-se que as sementes cultivarão um certo tipo de planta. A fé como mencionada na Bíblia é uma forma de pensar, uma atitude mental, uma certeza interior, sabendo que a idéia que você aceita plenamente em sua mente consciente ficará impressa em sua mente inconsciente e se tornará manifesta. Fé é, em certo sentido, aceitar como verdadeiro o que sua razão e seus sentidos negam, ou seja, desligar a mente analítica, racional, consciente e aceitar uma atitude de completa confiança no poder interior de sua mente inconsciente.

Um exemplo clássico de técnica bíblica é dado em Mateus 9:28-30. E quando ele entrou na casa, os cegos vieram até ele. E Jesus lhes disse: Crede que eu posso fazer isso? E eles lhe responderam, dizendo: Sim, ó Senhor. Então ele tocou os olhos deles, dizendo: Seja feito de acordo com sua fé. E seus olhos foram abertos. E Jesus lhes deu um aviso severo, dizendo: "Vede que nenhum homem saiba disso".

Nas palavras Seja feito a você de acordo com sua fé, vemos que Jesus realmente apelou para a cooperação da mente inconsciente dos cegos. Sua fé era sua grande expectativa, seu sentimento interior, sua convicção interior de que algo milagroso aconteceria, e que sua oração seria respondida, e assim foi. Esta é a antiga técnica de cura, usada da mesma forma por todos os grupos de cura ao redor do mundo, independentemente da afiliação religiosa.

Nas palavras Veja que ninguém sabe, Jesus pede aos pacientes curados que não discutam sua cura porque podem estar sujeitos à crítica céptica e cínica dos não crentes. Isto poderia desfazer o milagre que os cegos haviam recebido nas mãos de Jesus, depositando pensamentos de medo, dúvida e ansiedade na mente inconsciente.

Ele comanda os espíritos impuros com autoridade e poder, e eles saem. Lucas 4:36.

Quando os doentes vieram a Jesus para serem curados, eles foram curados por sua fé junto com sua fé e compreensão do poder curativo da mente inconsciente. Ele e as pessoas necessitadas de ajuda estavam na única mente universal e subjetiva, e seu conhecimento interno do poder curativo mudou os padrões negativos e destrutivos no inconsciente dos pacientes. As curas resultantes foram uma resposta automática à mudança mental interna. Seu comando foi seu apelo à mente inconsciente dos pacientes, combinado com sua consciência, sentimento e confiança absoluta na resposta da mente inconsciente às palavras, que ele falou com autoridade.

Milagres em vários santuários ao redor do mundo

É um fato estabelecido que curas ocorreram em vários santuários ao redor do mundo, tais como Japão, Índia, Europa e América. Visitei vários dos famosos santuários do Japão. No santuário do Diabutsu há uma estátua gigante de bronze representando Buda sentado com as mãos dobradas e a cabeça inclinada em uma atitude de êxtase contemplativo profundo. A estátua, com 42 pés de altura, é conhecida como "o grande Buda". Lá vi jovens e velhos fazendo oferendas a seus pés. Foram oferecidos dinheiro, frutas, arroz e laranjas. Velas foram acesas, incenso foi queimado e orações foram recitadas.

O guia explicou o canto de uma jovem enquanto ela murmurava uma oração, se abaixava e colocava duas laranjas como oferenda. Ela também acendeu uma vela. Ela disse que havia perdido sua voz anteriormente, e que ela havia sido restaurada no santuário. Ela estava agradecendo a Buda por restaurar sua voz. Ela tinha fé de que Buda restauraria sua voz se realizasse um certo ritual, jejuasse e fizesse certas oferendas. Tudo isso ajudou a aumentar sua fé, resultando no condicionamento de sua mente. Sua mente inconsciente respondeu à sua crença.

Para ilustrar ainda mais o poder da imaginação e da fé, vou relatar o caso de um parente meu que teve tuberculose. Seus pulmões estavam gravemente enfermos. Seu filho decidiu curar seu pai: foi para Perth, Austrália, onde seu pai morava, e lhe disse que havia encontrado um monge que havia retornado de um dos santuários de cura na Europa. Este monge lhe vendeu um pedaço da verdadeira cruz. Ele disse que deu ao monge o equivalente a 500 dólares.

Este jovem havia realmente tirado uma lasca de madeira do pavimento, foi até o joalheiro e a colocou em um anel para que parecesse real. Ele disse a seu pai que muitos foram curados simplesmente tocando o anel ou a cruz. Despedaçou a imaginação de seu pai ao ponto de o velho arrancou o anel, colocou-o em seu peito, rezou silenciosamente e adormeceu. Na manhã seguinte, ele foi curado.

Obviamente, não foi um pedaço de madeira que o curou. Foi sua imaginação, num estado de extrema admiração, combinada com uma expectativa confiante de cura. A imaginação foi combinada com fé ou sentimento subjetivo, e a união dos dois levou à cura. O pai nunca soube do truque que lhe havia sido pregado. Se ele tivesse descoberto, provavelmente teria tido uma recaída. Ele estava completamente curado e morreu quinze anos depois, com a idade de 89 anos.

Um princípio de cura universal

É um fato bem conhecido que todas as várias escolas de cura realizam efetivamente uma série de curas maravilhosas. A conclusão mais óbvia é que deve haver algum princípio subjacente comum a todos eles, ou seja, a mente inconsciente, e o único processo que leva à cura é a fé.

Gostaria agora de compartilhar mais uma vez as seguintes verdades fundamentais:

Primeiramente, que você possui funções mentais distintas: uma a mente consciente e a outra a mente inconsciente.

Em segundo lugar, sua mente inconsciente é constantemente suscetível ao poder da sugestão. Além disso, sua mente inconsciente tem controle total sobre as funções, condições e sensações de seu corpo.

Deixe-me supor que todos os leitores estão familiarizados com o fato de que os sintomas de quase qualquer doença podem ser induzidos em assuntos sob hipnose por sugestão. Por exemplo, um sujeito sob hipnose pode desenvolver uma febre alta com suor frio ou calafrios, dependendo da natureza da sugestão dada. Ao experimentar, pode-se também sugerir à pessoa que ela está paralisada e não pode andar. Por exemplo, você pode segurar um copo de água fria debaixo do nariz do sujeito sob hipnose e dizer-lhe: "Este copo está cheio de pimenta, cheire-o"! Com certeza, o assunto vai espirrar. O que você acha que o fez espirrar, a água ou a sugestão?

Se um homem diz que é alérgico à erva-dos-prados, pode-se colocar uma flor falsa ou um copo vazio na frente de seu nariz, quando ele estiver em estado de hipnose, e dizer-lhe que é erva-dos-prados. O homem experimentará os sintomas alérgicos usuais - isto indica que a causa da doença está na mente e, portanto, a cura da doença também pode ocorrer mentalmente.

Você deve ter notado que curas impressionantes podem acontecer através da osteopatia, medicina quiroprática e naturopatia, assim como através de todos os vários corpos religiosos ao redor do mundo, mas é óbvio que todas essas curas realmente acontecem através da mente inconsciente, o único verdadeiro curandeiro.

Preste atenção em como um corte no rosto causado pela barba cicatriza - ele sabe exatamente como fazê-lo. O médico cura a ferida e diz: "A natureza a cura". Ao dizer natureza ele está se referindo à lei natural, a lei da mente inconsciente, ou autopreservação, que é a função da mente inconsciente. O instinto de autopreservação é a primeira lei da natureza. Seu instinto mais forte é a mais poderosa de todas as auto-sugestões.

Teorias muito diferentes

Seria tedioso e improdutivo discutir todas as muitas teorias avançadas por várias seitas religiosas e grupos terapêuticos de oração. Há muitos que afirmam que porque sua teoria produz resultados, ela é, portanto, a correta. Isto, como explicado neste capítulo, não pode ser verdade.

Franz Anton Mesmer, um médico austríaco (1734-1815) que exerce em Paris, descobriu que aplicando ímãs no corpo de uma pessoa doente, ele poderia curar milagrosamente essa doença. Ele também realizou curas com vários pedaços de vidro e metais. Mais tarde ele descontinuou esta técnica de cura e alegou que suas curas eram devidas ao "magnetismo animal", teorizando que esta substância era projetada do curandeiro para o paciente.

Seu método de cura de doenças a partir de então era o hipnotismo, que em sua época era chamado de mesmerismo. Outros médicos disseram que todas as suas curas eram devidas a sugestões, e nada mais.

Todos esses grupos de psiquiatras, psicólogos, osteopatas, quiropráticos, médicos e todas as igrejas, usam o único poder universal que reside na mente inconsciente. Todos podem proclamar que as curas são devidas à sua própria teoria. O processo de cura é uma atitude mental precisa, um comportamento interior, uma forma de pensar, que chamamos de fé. A cura é devida a uma expectativa confiante, que atua como uma sugestão poderosa para a mente inconsciente liberando seu poder de cura.

61

Um homem não se cura com um poder diferente de outro. Todos podem ter uma teoria ou método diferente, mas existe apenas um processo de cura e que é a fé. Existe apenas um poder de cura: sua mente inconsciente. Escolha a teoria e o método que você preferir - se você tiver fé, você obterá resultados.

Opiniões de Paracelsus

Philippus Paracelsus, um famoso alquimista e médico suíço que viveu de 1493 a 1541, foi um grande curandeiro em sua época. Ele afirmou o que agora é um fato científico óbvio quando proferiu estas palavras: "Se o objeto de sua fé é real ou falso, você ainda obterá os mesmos efeitos". Assim, tendo fé na estátua de São Pedro como eu mesmo deveria ter tido fé em São Pedro, obterei os mesmos efeitos. Mas isto é superstição. A fé, no entanto, produz milagres; e quer seja verdadeira ou falsa fé, ela sempre produzirá as mesmas maravilhas".

A visão de Paracelsus também foi compartilhada no século 16 por Pietro Pomponazzi, filósofo italiano, que disse: "Podemos facilmente conceber os efeitos maravilhosos que a fé e a imaginação podem produzir, especialmente quando ambas as qualidades são recíprocas entre os sujeitos e a pessoa que os influencia. As curas atribuídas à influência de certas relíquias são o efeito de sua imaginação e fé. Charlatães e filósofos sabem que se alguém substituísse os ossos do santo pelos de qualquer esqueleto, os doentes ainda teriam efeitos benéficos".

Em qualquer caso, quer você acredite no poder curativo dos ossos dos santos ou no poder curativo de certas águas, você ainda terá resultados por causa da forte sugestão dada à sua mente inconsciente. É este último que permite a cura.

As experiências de Bernheim

Hippolyte Bernheim, professor de medicina em Nancy, França, 1910-1919, é um exemplo de como exercer a sugestão do médico para o paciente através da mente inconsciente.

Bernheim, em sua Terapeutica Suggestiva, página 197, conta a história de um homem com paralisia da língua que não tinha sucumbido a nenhuma forma de tratamento. O médico disse ao paciente que ele tinha um novo instrumento com o qual ele prometeu curá-lo. Então ele introduziu um termômetro de bolso na boca do paciente e o paciente imaginou que este instrumento o salvaria. Em poucos momentos ele gritou com alegria que finalmente poderia mover sua língua novamente.

"Entre nossos casos", continua Bernheim, "encontramos fatos do mesmo tipo". Uma garota veio ao meu escritório, tendo perdido completamente a capacidade de falar por quase quatro semanas. Depois de verificar o diagnóstico, eu disse aos meus alunos que a perda da fala às vezes cria eletricidade, que poderia agir simplesmente por uma influência sugestiva. Mandei buscar o aparelho de indução e apliquei minha mão na laringe, mexi um pouco e disse: "Agora você pode falar em voz alta". Em um instante eu a fiz dizer "a", depois "b", depois "Maria". Ela continuou a falar claramente e a voz tinha reaparecido completamente". Aqui Bernheim mostra o poder de crença e expectativa por parte do paciente, o que age como uma sugestão poderosa para a mente inconsciente.

A sugestão produz bolhas

Bernheim afirma ter gerado uma bolha na parte de trás do pescoço de um paciente aplicando um carimbo e sugerindo ao paciente que se tratava de um remendo. Isto foi confirmado por experiências e experiências de outros médicos em muitas partes do mundo, que não deixam dúvidas de que as mudanças estruturais são um possível resultado de sugestão aos pacientes.

O caso dos estigmas hemorrágicos

Na Lei dos Fenômenos Psíquicos de Hudson, na página 153, ele afirma: "Hemorragias hemorrágicas e estigmas hemorrágicos podem ser induzidos em certos assuntos por meio de sugestão.

"O Dr M Bourru colocou um sujeito em estado de sonambulismo, impressionando-o com a seguinte sugestão: 'Às quatro horas desta tarde, após a hipnose, você virá ao meu escritório, sentar-se-á em uma poltrona, cruzará seus braços e seu nariz começará a sangrar. No momento designado, o jovem fez o que lhe foi instruído e exatamente o que o médico havia declarado que havia acontecido.

Em outra ocasião, o mesmo médico rastreou o nome do paciente em ambos os antebraços com a ponta de um instrumento. Então, quando o paciente estava novamente em estado sonâmbulo, ele disse: "Às quatro horas desta tarde você irá dormir, e seus braços sangrarão nas linhas que eu desenhei, e seu nome aparecerá escrito em seus braços em letras de sangue. Ele foi examinado às quatro horas e visto adormecendo. Em seu braço esquerdo as cartas se destacavam em alívio brilhante e em vários lugares havia gotas de sangue. As cartas ainda eram visíveis três meses depois, embora estivessem desaparecendo gradualmente".

Estes fatos comprovam assim a verdade das duas proposições fundamentais anteriormente afirmadas, a saber, a constante exposição da mente inconsciente ao poder da sugestão e o perfeito controle que a mente inconsciente exerce sobre as funções, sensações e condições do corpo. Todos estes fenômenos dramatizam vividamente as condições anormais induzidas pela sugestão, e são prova conclusiva de que o que um homem deseja em seu coração (mente inconsciente), assim deve ser.

Recapitulemos os pontos mais importantes

1.

Lembre-se de que o poder de cura está em sua mente inconsciente.

2.

A fé é como uma semente: ela cresce de acordo com sua espécie. Plante a idéia (semente) em sua mente, regue e adube-a com expectativa e você verá que ela crescerá - ou seja, se manifestará na realidade.

3.

A idéia que você tem para um livro, uma nova invenção ou um jogo - ela é real em sua mente. É por isso que você pode acreditar que já o tem. Tenha fé na realidade de sua idéia, projeto ou invenção e ela se manifestará.

4.

Ao rezar por outro, seu conhecimento interior de plenitude, beleza e perfeição pode mudar os padrões negativos da mente inconsciente do outro e levar a resultados maravilhosos.

5.

As curas milagrosas que se ouvem em vários santuários são devidas à imaginação e à fé, que agem sobre a mente inconsciente, liberando seu poder de cura.

6.

Todas as doenças têm origem na mente. Nada aparece no corpo, a menos que haja um padrão mental correspondente.

7.

Os sintomas de quase todas as doenças podem ser induzidos por sugestões hipnóticas. Isto mostra o poder do pensamento.

8.

Há apenas um processo de cura e que é a fé. Existe apenas um poder de cura: sua mente inconsciente.

9.

Quer o objeto de sua fé seja real ou falso, você ainda terá resultados. Sua mente inconsciente responde ao seu pensamento. Considere a fé como um pensamento em sua mente e isso será suficiente.

Capítulo V - Curas para a mente nos tempos modernos

Todos estão interessados na cura das condições corporais e das contingências humanas. Mas o que é que cicatriza? Onde está esse poder de cura? Estas são perguntas feitas por todos. A resposta é que este poder de cura está na mente inconsciente de cada pessoa, e uma mudança de atitude mental por parte da pessoa doente pode desencadear este poder de cura.

Nenhum profissional mental ou religioso, psicólogo, psiquiatra ou médico jamais curou um paciente. Cito novamente o provérbio: "o médico cura as feridas e Deus as cura". O psicólogo ou psiquiatra simplesmente remove bloqueios mentais no paciente para que o princípio de cura possa ser liberado, restaurando a saúde do paciente. Da mesma forma, o cirurgião remove o bloqueio físico que permite que os fluxos de cura funcionem normalmente. Nenhum médico, cirurgião ou profissional de ciências mentais afirma ter "curado o paciente". O único verdadeiro poder de cura é chamado por muitos nomes: Natureza, Vida, Deus, Inteligência Criativa e Poder Inconsciente.

Como mencionado anteriormente, existem vários métodos para remover os bloqueios mentais, emocionais e físicos que inibem o fluxo da vida e o princípio de cura que nos anima. O princípio de cura que reside na mente inconsciente, quando devidamente dirigido por você ou outra pessoa, pode e irá curar sua mente e corpo de todas as doenças. Este princípio de cura opera em todas as pessoas, independentemente do credo, cor da pele ou etnia. Não é necessário pertencer a uma religião em particular para poder usar e participar deste processo de cura. Seu inconsciente curará a queimadura ou o corte em sua mão, mesmo se você professar ser ateu ou agnóstico.

Os processos mentais terapêuticos modernos se baseiam na

afirmação de que a inteligência infinita e o poder da mente inconsciente respondem de acordo com a fé. O praticante da ciência mental segue a injunção da Bíblia, ou seja, ele acalma sua mente, relaxa, deixa ir e pensa na infinita presença de cura dentro dele. Ele fecha a porta de sua mente para todas as distrações externas, e então silenciosa e conscientemente dirige seu pedido ou desejo à mente inconsciente, percebendo que a inteligência de sua mente responderá a ele de acordo com suas necessidades específicas.

A coisa mais bela a saber é esta: imagine o propósito desejado, e sinta sua realidade; então o princípio de vida infinita responderá a seu pedido consciente. Isto é o que significa acreditar que você recebeu, e que receberá. Isto é o que faz o cientista mental moderno ao praticar a terapia de oração.

Princípio de cura

Há um princípio de cura universal que opera em cada entidade - um gato, um cão, uma árvore, a grama, o vento, a terra - porque tudo está vivo. Este princípio de vida opera através dos reinos animal, vegetal e mineral sob a forma de instinto e da lei da evolução. O homem está consciente deste princípio de vida e pode usá-lo conscientemente para se beneficiar de inúmeras maneiras.

Há muitas abordagens, técnicas e métodos diferentes no uso deste poder universal, mas há apenas um processo de cura, que é a fé, porque o que você tem fé, acontecerá com você.

A Lei da Fé

Todas as religiões do mundo representam formas de crença, e estas crenças são explicadas de várias maneiras. A lei da vida é a crença. O que você acredita sobre si mesmo, a vida e o universo? Aquilo em que você tem fé acontecerá com você.

A fé é um pensamento, que faz com que o poder de seu inconsciente seja distribuído em todas as fases da vida de acordo com seus hábitos de pensamento. Gostaria de ressaltar que a Bíblia consiste em falar de fé em algum ritual, cerimônia, forma, instituição ou fórmula. Ela consiste na própria crença.

Uma crença é apenas o pensamento da mente. Tudo é possível para aqueles que acreditam (Marcos 9:23).

É uma tolice acreditar em algo que o faz sentir-se mal. Lembre-se, não é aquilo em que você acredita que lhe dói ou prejudica, mas é a crença ou o pensamento em sua mente que cria o resultado. Todas as suas experiências, todas as suas ações e todos os eventos e circunstâncias de sua vida são apenas reflexões e reações ao seu pensamento.

A terapia de oração como uma função combinada e direta entre consciente e inconsciente

A terapia de oração é a função sincronizada, harmoniosa e consciente dos níveis consciente e inconsciente da mente, especificamente dirigida a um propósito específico. Na oração científica ou terapia de oração, é importante estar consciente do que se está fazendo e por quê. A confiança é dada à lei da cura. A terapia de oração é às vezes chamada de tratamento mental, ou mesmo de oração científica.

Na terapia de oração você escolhe conscientemente uma determinada idéia, imagem mental ou plano que deseja experimentar. Você percebe sua capacidade de transmitir esta idéia ou imagem mental à sua mente inconsciente, sentindo a realidade do estado assumido. Permanecendo fiel à sua atitude mental, sua oração será respondida. A terapia de oração é uma ação mental definida para um propósito específico.

Suponha que você decida remediar uma certa dificuldade usando a terapia de oração. Você está ciente de que seu problema, seja ele qual for, deve ser causado por pensamentos negativos, carregados de medo, alojados na mente inconsciente, e que se você puder desintoxicar sua mente desses pensamentos, você terá seu remédio.

Neste ponto, você se voltará para o poder de cura de sua mente inconsciente e se lembrará de seu infinito poder e inteligência e de sua capacidade de remediar todas as condições. À medida que você se deter nestas verdades, o medo começará a se dissolver, e a impressão destas verdades também corrigirá crenças errôneas. Agradeça pelo remédio que você sabe que está prestes a obter e esvazie sua mente de pensamentos de dificuldade até que você sinta o transporte para rezar novamente. Ao rezar, você se recusa absolutamente a dar poder a condições negativas ou a admitir, mesmo por um segundo, que a solução não virá. Esta atitude da mente leva à união harmoniosa da mente consciente e inconsciente, o que liberará o poder curativo como resultado.

A cura pela fé: o que significa e como funciona

O que é popularmente chamado de cura pela fé não se refere à fé mencionada na Bíblia, mas ao conhecimento da interação entre a mente consciente e inconsciente. Um curandeiro é aquele que cura sem nenhum entendimento científico real dos poderes e das forças envolvidas. Ele pode afirmar ter um dom especial de cura, e a fé cega do paciente nele ou em seus poderes pode trazer resultados.

Um médico voodoo na África e em outras partes do mundo pode curar com encantamentos, ou uma pessoa pode ser curada tocando os chamados ossos dos santos, ou qualquer outra coisa que leve os pacientes a acreditar em tal método ou processo.

Qualquer método que transcenda o medo e a preocupação com a fé e a expectativa alcançará a cura. Há muitas pessoas que afirmam que porque sua teoria pessoal produz resultados, ela é, portanto, a correta. Isto, como já explicado neste capítulo, não pode ser verdade.

É assim que funciona a fé cega: você se lembrará do parágrafo sobre o médico suíço Franz Anton Mesmer. Em 1776, Mermer conseguiu muitas curas ao tocar os pacientes com ímãs artificiais. Mais tarde, ele deixou de usar esses ímãs e desenvolveu a teoria do magnetismo animal. Esta teoria prevê a existência de um fluido que impregna o universo, mas que é mais ativo no organismo humano.

Ele alegou que seu fluido magnético foi transferido dele para seus pacientes, curando-os. Os pacientes afluíam a ele em grande número e muitos estavam curados.

Mais tarde, Mesmer mudou-se para Paris, onde o governo nomeou uma comissão composta por médicos e membros da Academia de Ciências, da qual Benjamin Franklin também era membro, para investigar suas atividades. O relatório confirmou os principais fatos alegados por Mesmer, mas alegou que não havia provas para provar a correção de sua teoria do fluido magnético e que os efeitos eram devidos à imaginação dos pacientes.

Mesmer foi enviado para o exílio e morreu em 1815. Pouco tempo depois, a Dra. Braid de Manchester se propôs a provar que o fluido magnético não tinha nada a ver com as curas do Dr. Mesmer. O Dr. Braid descobriu que os pacientes podiam ser induzidos ao sono hipnótico por sugestão, e que durante este estado muitos dos fenômenos bem conhecidos atribuídos ao magnetismo por Mesmer foram reproduzidos.

Isto mostra que todas estas curas foram causadas pela imaginação ativa dos pacientes juntamente com uma forte sugestão de saúde para sua mente inconsciente. Tudo isso pode ser chamado de fé cega, pois naquela época não havia compreensão científica de como essas curas ocorriam.

Fé subjetiva: o que significa

Você sem dúvida se lembrará que a mente subjetiva ou inconsciente de um indivíduo é tão suscetível ao controle por sua mente consciente ou objetiva quanto pelas sugestões de outro. Segue-se que qualquer que seja sua crença objetiva, seja ela ativa ou passiva, sua mente inconsciente será controlada por sugestões e seu desejo será cumprido.

A fé necessária para a cura mental é uma fé puramente subjetiva, alcançável com a cessação da oposição ativa da mente consciente.

71

Para a cura do corpo, é desejável assegurar uma crença concordante tanto da mente consciente quanto da inconsciente. Entretanto, isto nem sempre é essencial se se entra em um estado de passividade e receptividade, relaxando a mente e o corpo, e entrando em um estado de sono. Neste estado, a passividade se torna mais receptiva à impressão subjetiva.

Há pouco um homem me perguntou: 'Como é possível que eu esteja sendo curado por um padre? Eu não acreditei nele quando me disse que não existe tal coisa como doença e que a matéria não existe".

Este homem inicialmente o considerou um insulto à sua inteligência e protestou contra um absurdo tão óbvio. A explicação é simples. O homem se acalmou com palavras calmantes e disse para entrar num estado perfeitamente passivo, para não dizer nada e para não pensar em nada naquele momento. Ele conseguiu encontrar um estado de relaxamento total e disse a si mesmo com convicção que teria a perfeita saúde, paz, harmonia e plenitude que desejava. Para seu imenso alívio, ele foi restaurado à saúde.

É fácil ver que sua fé subjetiva se manifestou na passividade do tratamento em andamento e as sugestões do padre de saúde perfeita foram transmitidas a sua mente inconsciente. As duas mentes subjetivas estavam relacionadas.

O padre não foi impedido pelas auto-sugestão antagônicas do paciente, decorrentes de dúvidas sobre seu poder de cura ou sobre a correção da teoria. Neste estado de sono, a resistência da mente consciente foi reduzida a um mínimo e os resultados foram seguidos. A mente inconsciente do paciente, controlada por esta sugestão, foi capaz de exercer suas funções de acordo com isto, e o paciente se curou.

Cuidados na ausência

Imagine que você acabou de descobrir que sua mãe, que vive em Nova York, adoeceu - e você vive em Los Angeles. Você não pode estar imediatamente presente de forma física, mas poderia rezar por ela. É o Pai dentro de nós que faz o trabalho.

A lei criativa da mente inconsciente está a seu serviço. Sua resposta é automática. Seu tratamento visa induzir a uma realização interior de saúde e harmonia em sua mente. Esta realização interior opera através de sua mente inconsciente como se existisse apenas uma mente criativa. Seus pensamentos de saúde, vitalidade e perfeição operam através da única mente subjetiva universal e impõem uma lei de movimento ao lado subjetivo da vida, que se manifestará através de seu corpo como cura.

No princípio da mente, não há tempo ou espaço. É a mesma mente que opera através de sua mãe, onde quer que ela esteja. Na verdade, não há cura na ausência, ao contrário de uma cura na presença, já que a mente universal é onipresente. Não se tenta enviar pensamentos ou manter um pensamento. A cura é um movimento consciente de pensamento e quando você se torna consciente das qualidades de saúde, bem-estar e relaxamento, estas qualidades serão trazidas à luz na experiência de sua mãe, e os resultados se seguirão.

O seguinte é um exemplo perfeito do que é chamado de tratamento ausente. Recentemente, uma ouvinte de nosso programa de rádio de Los Angeles rezou por sua mãe de Nova York que tinha trombose coronária: "A presença curativa é exatamente onde minha mãe está. Sua condição física é apenas um reflexo de sua vida pensada, como sombras projetadas em uma tela. Sei que para mudar as imagens na tela, tenho que mudar a projeção. Minha mente é a bobina, e posso projetar em minha mente a imagem de completude, harmonia e saúde perfeita para minha mãe. A infinita presença curativa, que criou o corpo de minha mãe e todos os seus órgãos, está saturando cada átomo de seu ser, e um rio de paz flui através de cada célula de seu corpo. Os médicos são divinamente guiados, e quem toca em minha mãe é guiado a fazer a coisa certa. Eu sei que a doença não tem realidade última; se tivesse, ninguém poderia ser curado. Agora me alinho com o princípio infinito do amor e da vida, e sei e resolvo que harmonia, saúde e paz estão agora expressas no corpo de minha mãe.

Ela fazia estas orações regularmente, e sua mãe teve uma recuperação notável após apenas alguns dias, para o espanto de seu especialista, que também elogiou sua fé muito forte em Deus.

A conclusão impressa na mente da filha pôs em movimento a lei criativa da mente no lado subjetivo da vida, que se manifestou através do corpo da mãe na forma de perfeita saúde e harmonia. O que a filha sentia como verdade para sua mãe foi ao mesmo tempo revitalizado na experiência de sua mãe.

Libertando a ação cinética da mente inconsciente

Um psicólogo que conheço me disse que um de seus pulmões havia sido infectado; raios-X e testes mostraram a presença de tuberculose. À noite, indo dormir, ele ficou quieto e disse: "Cada célula, nervo, tecido e músculo em meus pulmões estão intactos, puros e perfeitos". Meu corpo inteiro está voltando à saúde e à harmonia".

Estas não são suas palavras exatas, mas representam a essência do que ele disse. Após cerca de um mês, ele se sentiu muito melhor e as radiografias subseqüentes mostraram uma cura completa.

Eu queria estudar melhor seu método, então perguntei a ele por que ele repetia essas palavras antes de dormir. Aqui está sua resposta: "A ação cinética da mente inconsciente continua a pensar durante o sono. Portanto, é importante dar à mente inconsciente algo bom para trabalhar enquanto você está dormindo". Achei que essa foi uma resposta muito sábia. Pensando mais em harmonia e saúde perfeita, ele nunca mencionou realmente a doença.

Sugiro fortemente que deixemos de falar de distúrbios ou de nomeá-los. A única fonte da qual eles atraem energia é nossa atenção e nossos medos. Como o psicólogo mencionado acima, torne-se seu próprio "cirurgião mental". Então, seus problemas serão podados e removidos como galhos mortos de uma árvore.

Ao chamar constantemente suas dores e sintomas, você inibe a ação cinética, ou seja, a liberação do poder curativo e da energia de sua

74

mente inconsciente. Além disso, graças à lei da mente, estas imagens tendem a tomar forma como a coisa que você teme muito. Em vez disso, encha sua mente com as grandes verdades da vida e siga a luz do amor.

Recapitulemos os elementos que sustentam a saúde

1.

Descubra o que é que o cura. As instruções corretas dadas à mente inconsciente curarão sua mente e seu corpo.

2.

Desenvolva um plano definido para atender seus pedidos ou desejos à mente inconsciente.

3.

Imagine o objetivo desejado e sinta sua realidade. Siga e você alcançará resultados definitivos.

4.

Decidir o que é fé. Saiba que a fé é um pensamento em sua mente.

5.

É uma tolice ter fé na doença e geralmente em algo que lhe dói ou machuca. Acreditar antes na saúde perfeita, na prosperidade, na paz, na riqueza e na orientação divina.

6.

Os grandes e nobres pensamentos que você costuma entreter se tornam atos na realidade.

7.

Aplique o poder da terapia de oração em sua vida. Escolha um determinado plano, idéia ou estrutura mental. Junte-se a eles mental e emocionalmente a esta idéia e, permanecendo fiel à sua atitude mental, sua oração será respondida.

8.

Lembre-se sempre que se você anseia pelo poder de curar, você pode tê-lo através da fé, o que significa uma compreensão do funcionamento de sua mente consciente e inconsciente. A fé vem com compreensão.

9.

A fé cega significa que uma pessoa pode obter cura sem qualquer compreensão científica dos poderes e forças envolvidas.

10.

Aprenda a rezar por seus entes queridos que estão doentes. Acalme sua mente e entretenha pensamentos de saúde, vitalidade e perfeição, que, operando através da única mente subjetiva universal, serão sentidos e impressos na mente de seu ente querido.

Capítulo VI - Técnicas de Cura da Mente na Prática

Um engenheiro usa uma técnica específica para construir uma ponte ou um edifício. Da mesma forma, a mente também tem uma técnica para construir, governar e direcionar sua vida. A importância de se possuir uma técnica específica é essencial.

Para construir a Ponte Golden Gate, o engenheiro chefe entendeu primeiro os princípios matemáticos e arquitetônicos. Em segundo lugar, ele criou uma imagem ideal da ponte que ele pretendia construir através da baía. O terceiro passo foi a aplicação de técnicas comprovadas, cujos princípios foram aplicados na construção da ponte - e hoje podemos atravessá-la a pé.

Da mesma forma, existem também técnicas e métodos para responder às orações. Se sua oração for respondida, ela acontece de uma certa maneira e essa maneira é científica. Nada acontece por acaso, o nosso é um mundo de lei e ordem. Neste capítulo descrevo práticas técnicas para o desdobramento e alimentação de sua vida espiritual. Não deixe suas orações penduradas no meio do ar, mas deixe-as serem canalizadas para a realização de algo concreto em sua vida.

Ao analisar a oração, descobrimos que existem muitas abordagens e métodos diferentes para ela. Não consideraremos neste livro as orações formais e rituais usadas nos cultos da igreja; estas desempenham um papel importante no culto em grupo. Entretanto, neste contexto, estamos interessados apenas em métodos de oração pessoais, como eles são aplicados na vida diária e como são usados para ajudar os outros.

A oração é a formulação de uma idéia a respeito de algo que queremos alcançar. A oração é o desejo sincero da alma. Seu desejo é sua oração. Ela surge de suas necessidades mais profundas e revela as coisas que você quer na vida. Bem-aventurados aqueles que têm fome e sede de retidão, pois serão satisfeitos. Esta é a verdadeira oração, fome e sede de paz, harmonia, saúde, alegria e todas as outras bênçãos da vida.

Técnica de passagem para imprimir o inconsciente

Isto consiste essencialmente em induzir a mente inconsciente a assumir o seu pedido, como foi estabelecido pela mente consciente. Esta etapa é mais fácil de realizar no estado de sonho. Lembre-se de que no fundo de sua mente está a inteligência e o poder infinitos. Pense calmamente no que você deseja: você verá que a partir deste momento seu desejo será realizado mais completamente.

Pegue-o daquela menina que, tendo pegado uma tosse ruim e dor de garganta, declarou firme e repetidamente: "Está passando, está passando" e na verdade passou depois de algumas horas. Utilize esta técnica com total simplicidade e ingenuidade.

O inconsciente aceitará seu plano de ação

Se você está construindo uma nova casa para você e sua família, sem dúvida estará extremamente interessado no projeto de sua casa: você vai querer garantir que os construtores não se desviem de seu projeto, você vai querer escolher apenas os melhores materiais (a madeira mais forte, os metais mais fortes). E quanto à imagem mental que você tem de sua casa? E quanto à sua esperança de felicidade e abundância? Todas as suas experiências e tudo o que entra em sua vida dependem da natureza dos blocos de construção mental que você usará na construção mental de sua casa.

Se seu projeto mental estiver cheio de medo, preocupações, ansiedade ou deficiências, e se você se sentir desanimado, duvidoso e cínico, então a estrutura que você está criando em sua mente surgirá de acordo, refletindo estes sentimentos negativos.

A atividade mais fundamental e de maior alcance na vida é aquela que se opera em sua própria mente. A palavra é silenciosa e invisível; no

78

entanto, ela é real.

Você está construindo sua casa mental em cada momento, e seus pensamentos e imagens mentais representam seu verdadeiro projeto. Hora a hora, minuto a minuto você também pode construir saúde, sucesso e felicidade através dos pensamentos, idéias, crenças que você aceita e as cenas que você esboça no estudo oculto de sua mente. Esta morada à qual você se dedica constantemente não é outra senão a sua personalidade, sua identidade, toda a sua história de vida nesta terra.

Assumir um novo projeto; construir em silêncio realizando a paz, a harmonia, a alegria e a boa vontade no momento presente. Ao se deter nestas coisas e reivindicá-las, sua mente inconsciente aceitará seu projeto e realizará todas estas coisas. Você os reconhecerá por seus frutos

A ciência e a arte da verdadeira oração

O termo "ciência" indica o conhecimento coordenado, organizado e sistematizado. Falamos da ciência e da arte da verdadeira oração como sendo princípios, técnicas e processos fundamentais que podem ser demonstrados em sua vida, bem como na vida de qualquer outro ser humano, quando você os aplica fielmente. A arte é a técnica ou o processo, e a ciência por trás deles é a resposta final da mente criativa à sua estrutura mental ou ao seu pensamento. Pedi e vos será dado; buscai e encontrareis; batei e vos será aberto (Mateus 7:7).

Esta passagem diz que você receberá o que você pede. A porta será aberta para você quando bater, e você encontrará o que está procurando. Este ensinamento tem inerente a definição de leis mentais e espirituais. Há sempre uma resposta direta da Inteligência Infinita através de sua mente inconsciente ao seu pensamento consciente. Se você pedir pão, não receberá uma pedra. Você tem que acreditar como você pergunta se quer receber. Sua mente se moverá do pensamento para a coisa, mas a menos que já exista uma imagem na mente, ela não pode se mover, porque não haveria nada para onde se mover. Sua oração, que é seu ato mental, deve ser aceita como uma imagem por sua mente antes que o poder de sua mente inconsciente se aplique a ela e a produza. Você terá que alcançar um ponto de aceitação em sua mente, um estado de acordo incontestável e indiscutível.

Esta contemplação deve ser acompanhada por um sentimento de alegria e paz ao antecipar a realização certa de seu desejo. A base sólida para a arte e a ciência da verdadeira oração é sua consciência e plena confiança de que o movimento de sua mente consciente obterá uma resposta definitiva de sua mente inconsciente - este fato contém sabedoria sem limites e poder infinito. Seguindo este procedimento, suas preces serão atendidas.

A técnica de visualização

A maneira mais simples e direta de formular uma idéia é visualizá-la, vê-la nos olhos da mente como se ela estivesse viva. Você só pode ver com seus olhos o que já existe no mundo externo; do mesmo modo, o que você pode visualizar a olho nu já existe nos reinos invisíveis da mente. Cada imagem em sua mente é a substância das coisas desejadas e a evidência das coisas não vistas. O que forma em sua imaginação é tão real quanto qualquer parte de seu corpo.

A idéia e o pensamento são reais e um dia aparecerão em seu mundo objetivo se você for fiel à sua imagem mental.

Este processo de pensamento forma impressões em sua mente; estas impressões, por sua vez, se manifestam como fatos e experiências em sua vida. O construtor visualiza o tipo de edifício que deseja construir; ele o vê como ele deseja que seja concluído. Suas imagens e processos de pensamento se tornam um molde do qual o edifício surgirá - seja ele bonito ou feio, um arranha-céus ou uma construção de um único andar. Suas imagens mentais são projetadas e desenhadas em papel. Eventualmente, o empreiteiro e os

80

trabalhadores preparam os materiais essenciais e o edifício progride até sua conclusão, conformando-se perfeitamente com os modelos mentais do arquiteto.

Eu uso a técnica de visualização antes de falar em uma conferência, eu calo minha mente para poder apresentar minhas imagens de pensamento para a mente inconsciente. Então, imagino todo o auditório e as cadeiras cheias de homens e mulheres; cada um deles iluminado e inspirado pela infinita presença curativa. Eu os vejo como radiantes, felizes e livres.

Tendo construído a idéia pela primeira vez em minha imaginação, eu a mantenho em silêncio como uma imagem mental ao imaginar ouvir homens e mulheres dizendo: "Eu estou curado", "Eu me sinto ótimo", "Eu tive cura instantânea", "Eu estou transformado". Continuo fazendo isto por cerca de dez minutos ou mais, sabendo e sentindo que a mente e o corpo de cada pessoa estão cheios de amor, totalidade, beleza e perfeição. Minha consciência cresce ao ponto de poder ouvir em minha mente as vozes da multidão proclamando sua saúde e felicidade; então deixo o quadro inteiro e passo para a plataforma. Quase todos os domingos algumas pessoas param e dizem que suas orações foram atendidas.

Método de filmes mentais

Um ditado chinês diz: "Uma imagem vale mais que mil palavras". William James, pai da psicologia americana, enfatizou o fato de que a mente inconsciente transferirá qualquer imagem para a mente e apoiada pela fé.

Aja como você é, e você será.

Há alguns anos eu tive que viajar pelo Meio Oeste para dar palestras em vários estados, então eu queria ter uma casa permanente naquela área, da qual eu pudesse servir àqueles que quisessem minha ajuda. Viajei para longe, mas o desejo nunca me saiu da cabeça. Uma noite em um hotel em Spokane, Washington, relaxei no sofá, concentrei minha atenção e, silenciosa e passivamente, imaginei-me falando para uma grande platéia, dizendo: "Estou feliz por estar aqui; tenho rezado pela oportunidade perfeita. Vi na minha mente o público imaginário e senti a realidade de tudo isso. Fiz o papel do ator, encenei este filme mental e me senti satisfeito que este filme estava sendo transmitido para minha mente inconsciente, que se daria conta disso. Na manhã seguinte, quando acordei, senti uma forte sensação de paz e, em poucos dias, recebi um telegrama pedindo-me para assumir uma organização no Meio-Oeste, o que fiz, e desfrutei imensamente durante vários anos.

O método aqui descrito foi referido por muitos como "o método do filme mental". Recebi muitas cartas de pessoas que ouvem minhas palestras de rádio e palestras públicas semanais, contando-me os resultados maravilhosos que conseguiram com esta técnica para vender seus imóveis. Sugiro àqueles que têm casas ou propriedades à venda que deixem claro para si mesmos que seu preço está certo. Então, eu argumento que a Infinite Intelligence atrai para eles o comprador que realmente quer ter a propriedade e irá amá-la e prosperar nela. Depois disso, sugiro que eles acalmem suas mentes, relaxem, soltem e entrem num estado de sono, que envolve um esforço mental mínimo. Eles terão que imaginar que têm o cheque na mão, se alegrar e agradecer, indo dormir sentindo o poder do filme mental que criaram. Eles terão que agir como se fosse uma realidade objetiva e a mente inconsciente a tomará como uma impressão e, através das correntes mais profundas da mente, o comprador e o vendedor se reúnem. Uma imagem mental, sustentada pela fé, se tornará realidade.

A técnica de Baudoin

Charles Baudoin foi um brilhante psicoterapeuta e diretor de pesquisa da Escola de Cura de New Nancy, que ensinou em 1910 que a melhor maneira de impressionar a mente inconsciente era entrar num estado de sono ou num estado semelhante ao sono, no qual todo o esforço era minimizado. Então, de maneira silenciosa, passiva, receptiva e reflexiva, transmite a idéia para o inconsciente. Esta é sua fórmula: "Uma maneira muito simples de garantir isso [a impressão na mente inconsciente] é condensar a idéia que deve ser objeto de sugestão, resumi-la em uma frase curta que pode ser mais facilmente gravada na memória, e repeti-la várias vezes como um mantra.

Há alguns anos, uma garota de Los Angeles se viu no meio de uma amarga e prolongada ação judicial familiar relativa a um testamento. Seu marido lhe havia legado todos os seus bens, mas seus filhos e filhas de um casamento anterior estavam lutando amargamente para anular o testamento. A técnica de Baudoin foi descrita a ela, e eis o que ela fez: relaxou, sentou-se em uma poltrona, entrou em estado de sono e, como sugerido, condensou a idéia de sua necessidade em uma frase composta de algumas palavras facilmente gravadas em sua memória. "Está terminado na ordem divina". O significado para ela destas palavras era que a Inteligência Infinita trabalhando através das leis de sua mente inconsciente traria uma boa resolução, através do princípio da harmonia. Ela continuou esta rotina todas as noites por cerca de dez noites. Ao adormecer, ela repetia lentamente dentro de si mesma: "Está terminado na ordem divina", uma e outra vez, sentindo uma sensação de paz interior e tranqüilidade permear cada célula de seu corpo; então ela adormeceria como de costume. Na manhã do décimo primeiro dia, depois de utilizar a técnica acima mencionada, ela acordou com uma sensação de bem-estar, com a convicção de que estava realmente acabado. Seu advogado a chamou no mesmo dia e disse que o advogado adversário e seus clientes estavam dispostos a chegar a um acordo. Um acordo harmonioso foi alcançado e o litígio foi interrompido.

A técnica do sono

Quando se entra num estado de sono, todo o esforço é reduzido ao mínimo. A mente consciente fica em grande parte submersa quando está em estado de sono. Isto ocorre porque o mais alto grau de superfície do inconsciente ocorre antes do sono e imediatamente após o despertar. Neste estado, os pensamentos negativos, que tendem a neutralizar seu desejo e assim impedir a aceitação por sua mente inconsciente, não estão mais presentes.

Suponhamos que você queira se livrar de um hábito destrutivo. Fique em uma posição confortável, relaxe seu corpo e fique quieto. Entre num estado de sono, e nesse estado repita calmamente, várias vezes como um mantra: "Estou completamente livre deste hábito; harmonia e paz reinam supremas na mente". Repita por cerca de cinco a dez minutos, à noite e pela manhã. Cada vez que você repete certas palavras, seu valor emocional aumenta. Quando você sentir a necessidade de repetir o hábito negativo, repita a fórmula anterior em voz alta. Isto induz o inconsciente a aceitar a idéia e uma solução se seguirá.

A Técnica de "Obrigado

Na Bíblia, Paulo recomenda que expressemos nossos pedidos com louvor e ação de graças. Este método simples de oração pode trazer resultados extraordinários. O coração agradecido está sempre próximo das forças criativas do universo, fazendo com que inúmeras bênçãos fluam para ele através da lei da relação recíproca, baseada numa lei cósmica de ação e reação.

Por exemplo, um pai promete a seu filho um carro para sua formatura; o menino ainda não recebeu o carro, mas ele está tão grato e feliz como se tivesse realmente recebido o carro. Ele sabe que seu pai manterá sua promessa e está cheio de gratidão e alegria mesmo que, tecnicamente, ele ainda não tenha visto o carro - no entanto, ele o recebeu em sua mente.

Ele descreverá agora como o Sr. Broke aplicou esta técnica com excelentes resultados. Ele disse: "As contas estão se acumulando, estou desempregado, tenho três filhos e não tenho dinheiro. O que devo fazer"? Regularmente todas as noites e todas as manhãs, por um período de cerca de três semanas, ele repetia isto: "Obrigado, Padre, por minha riqueza" de forma relaxada e tranqüila, até que o sentimento ou o humor de gratidão penetrasse em sua mente. Ele imaginava voltar-se para o poder infinito e a inteligência dentro dele, sabendo no entanto que não podia vê-los. Ele estava, entretanto, visualizando-as com o olhar interior da percepção espiritual, percebendo que sua imagem de pensamento da riqueza era a primeira causa, no que diz respeito a dinheiro, trabalho e alimentos. Seu sentimento de pensamento era a substância da riqueza, livre de condições prévias de qualquer tipo. Repetindo: "Obrigado, Pai" uma e outra vez, sua mente e seu coração foram elevados a um estado de aceitação, e quando se surpreendeu com pensamentos de medo, falta, pobreza e angústia, disse para si mesmo: "Obrigado, Pai", sempre que necessário. Ele sabia que, mantendo a atitude de agradecimento, recondicionaria sua mente à idéia de riqueza, que foi o que aconteceu.

O que aconteceu como resultado de sua oração é muito interessante. Depois de rezar desta maneira, ele encontrou um antigo empregador na rua que não via há vinte anos. O homem lhe ofereceu um bom emprego e até lhe deu um empréstimo de 500 dólares. Hoje, o Sr. Broke é vice-presidente da empresa para a qual ele trabalha. Um de seus comentários recentes é: "Nunca esquecerei as maravilhas do 'Obrigado, Pai', isso mudou minha vida".

O Método Afirmativo

A eficácia de uma afirmação é em grande parte determinada por sua compreensão da verdade e do significado das palavras: "Ao rezar, não use repetições em vão". Portanto, o poder de sua afirmação reside na aplicação inteligente de elementos positivos específicos. Por exemplo, um menino calcula três mais três e escreve sete no quadro negro. O professor afirma com certeza matemática que três mais três são seis; portanto, o menino modifica sua escrita de acordo. A declaração do professor não fez com que três mais três fizessem seis, porque esta já é uma verdade matemática. A verdade matemática fez com que o menino mudasse a figura

É anormal estar doente; é normal estar saudável. A saúde é a verdade do seu ser. Quando você afirma saúde, harmonia e paz para si mesmo ou para outra pessoa, e quando perceber que estes são princípios universais de seu ser, você reorganizará os padrões negativos de sua mente inconsciente com base na fé e na compreensão do que você afirma.

O resultado do processo afirmativo de oração depende de sua adesão aos princípios da vida, independentemente de suas aparências. Considere por um momento que existe um princípio de matemática mas não de erro; existe um princípio de verdade mas não de desonestidade. Há um princípio de inteligência, mas não de ignorância; há um princípio de harmonia, mas não de discórdia. Há um princípio de saúde, mas não de doença, e há um princípio de abundância, mas não de pobreza.

Decidi usar o método afirmativo para minha irmã quando ela deveria ser operada para a remoção de cálculos biliares em um hospital na Inglaterra. A condição descrita foi baseada no diagnóstico dos exames hospitalares e nos procedimentos habituais de raios X. Ela me pediu para rezar por ela. Estávamos a 6500 milhas de distância, mas lembre-se que não há tempo ou espaço no princípio da mente. A inteligência infinita está presente em sua totalidade em cada ponto e em cada momento. Tentei não pensar nos sintomas e contemplar toda a personalidade corporal. Eu afirmei o seguinte: "Esta oração é por minha irmã Catherine. Ela está relaxada e tranquila, serena e calma. A inteligência curativa de sua mente inconsciente, que criou seu corpo, está agora transformando cada célula, nervo, tecido, músculo e osso de seu corpo de acordo com o padrão perfeito de todos os órgãos alojados em sua mente inconsciente. Calma, todos os padrões de pensamento distorcidos em sua mente inconsciente são removidos e dissolvidos, e a vitalidade, totalidade e beleza do princípio de vida se manifesta em cada átomo de seu ser. Agora ela está aberta e receptiva às correntes de cura que fluem através dela como um rio, restaurando sua saúde, harmonia e paz. Todas as distorções e imagens feias são agora varridas pelo interminável oceano de amor e paz que flui através dela, e assim será".

Eu afirmei o acima exposto várias vezes ao dia e após duas semanas minha irmã fez um exame, que mostrou uma cura notável e as radiografias voltaram negativas.

Afirmar é declarar o estado de alguma coisa, e desde que você mantenha esta mentalidade como verdadeira, independentemente de qualquer evidência em contrário, você receberá uma resposta a sua oração. Seu pensamento só pode afirmar, porque mesmo que você negue algo, na verdade você só está afirmando a presença daquilo que você nega. Repetir uma afirmação, estar ciente do que você está dizendo e por que o está dizendo, traz a mente para aquele estado de consciência onde aceita o que você declara como verdadeiro. Continue afirmando as verdades da vida até obter a reação subconsciente satisfatória.

O método argumentativo

Este método é exatamente o que seu nome implica. Ela tem origem no procedimento do Dr. Phineas Parkhurst Quimby do Maine. O Dr. Quimby, um pioneiro na cura mental e espiritual, viveu e praticou em Belfast, Maine, há cerca de um século. Um livro chamado The Quimby Manuscripts foi publicado em 1921 pela empresa Thomas Y Crowell, Nova York, e editado por Horatio Dresser. Este volume contém artigos de periódicos sobre as notáveis realizações do médico no tratamento da oração. Quimby replicou muitos dos milagres de cura narrados na Bíblia. Em resumo, o método argumentativo utilizado por Quimby consiste no raciocínio espiritual no qual ele convence o paciente e a si mesmo de que a doença é devida às crenças falsas do paciente, medos infundados e padrões negativos inerentes a sua mente inconsciente. Primeiro, o médico justifica em sua própria mente e depois convence seu paciente de que a doença ou desordem se deve apenas a um padrão de pensamento distorcido que se manifestou no corpo. Esta crença equivocada em algum poder ou causa externa se manifestou agora como doença, e pode ser mudada pela mudança dos padrões de pensamento.

O médico que pratica esta técnica explica ao paciente que a base de toda cura é uma mudança de fé, apontando que a mente inconsciente criou o corpo e todos os seus órgãos, por isso sabe como curá-lo, pode curá-lo, e está fazendo isso naquele exato momento. No 'tribunal' de sua mente você argumenta que a doença é uma sombra da mente baseada em imagens mórbidas do pensamento. Você continua a construir todas as evidências que pode reunir em nome do poder curativo dentro de você, que criou todos os órgãos em primeiro lugar, e que tem um modelo perfeito de cada célula, nervo e tecido dentro dele. Então, o médico pronuncia um veredicto no tribunal de sua mente em favor de si mesmo e do paciente, libertando a pessoa doente com fé e compreensão espiritual. O teste mental e espiritual é esmagador; como existe apenas uma mente, o que é sentido como verdadeiro será realizado na experiência do paciente. Este procedimento é essencialmente o método argumentativo utilizado pelo Dr. Quimby entre 1849 e 1869.

O método absoluto é como a moderna terapia de ondas sonoras

Muitas pessoas em todo o mundo praticam esta terapia com resultados maravilhosos. A pessoa que usa o método absoluto nomeia o nome do paciente, por exemplo, John Jones, então pensa calmamente sobre Deus e Suas qualidades e atributos, por exemplo, Deus é felicidade, amor sem limites, inteligência infinita, sabedoria eterna, harmonia absoluta, beleza e perfeição indescritíveis. Como ele pensa nestas linhas de pensamento, sua consciência é elevada a um novo plano espiritual, no qual ele sente que o oceano infinito do amor de Deus está dissolvendo tudo o que não está além de si mesmo na mente e no corpo de John Jones por quem ele está orando. Ele sente que todo o poder e amor de Deus está agora focalizado em John Jones, e tudo que o perturba ou atormenta é agora neutralizado, em virtude do infinito oceano de vida e amor.

O método absoluto de oração poderia ser comparado com a onda sonora ou terapia sônica recentemente demonstrada por um distinto médico em Los Angeles, que usa uma máquina de ultra-som que oscila a uma velocidade muito alta e envia ondas sonoras para a área do corpo para a qual é dirigida. Estas ondas sonoras podem ser controladas, e ele me disse que obteve resultados notáveis na dissolução de depósitos artríticos e calcários, bem como na cura e remoção de outras condições ou enfermidades.

Na medida em que crescemos em consciência ao contemplar as qualidades e atributos de Deus, geramos ondas eletrônicas espirituais de harmonia, saúde e paz. Esta técnica de oração tem resultado em muitas curas.

Levante-se e caminhe

O Dr. Phineas Parkhurst Quimby, que já mencionamos neste capítulo, utilizou o método absoluto nos últimos anos de sua carreira. Ele é considerado o pai da medicina psicossomática e está entre os primeiros psicanalistas. Ele tinha a capacidade de diagnosticar a causa dos problemas e dores de clarividência de um paciente.

O seguinte é um relato condensado da recuperação de uma mulher incapacitada, conforme registrado em The Quimby Manuscripts:

Quimby foi chamado para visitar uma mulher coxa, idosa e acamada. Ele declarou que sua doença se devia ao fato de que ela estava presa por um credo tão pequeno e contraído que ela não podia ficar de pé e se mover. Ela vivia em uma prisão de medo e ignorância; além disso, ela tomou a Bíblia literalmente e isso a assustou. "Nesta prisão", disse Quimby, "havia a presença e o poder de Deus, que procurava irromper pelas paredes da prisão". Quando a mulher pedia a outros uma explicação de uma passagem bíblica, a resposta seria como uma pedra; e ela teria fome do pão da vida. A Dra. Quimby a diagnosticou com uma mente nublada e estagnada, devido à excitação e medo causados por sua incapacidade de ver claramente o significado da Bíblia que ela estava lendo. Isto se manifestou em seu corpo com sua sensação de peso e morosidade, que se tornou paralisia.

Neste ponto Quimby perguntou-lhe a interpretação dos versículos bíblicos: Ainda estou com você por pouco tempo; depois vou até Aquele que me enviou. Você me procurará e não me encontrará; e onde eu estiver, você não poderá vir. João 7:33-34. Ela respondeu que isso significa que Jesus foi para o céu. Quimby lhe explicou que estar com ela por pouco tempo significava explicar seus sintomas, seus sentimentos e suas causas; isto é, ele tinha compaixão e simpatia por ela por um momento, mas não podia permanecer nesse estado de espírito. O passo seguinte foi ir até Aquele que nos enviou que, como Quimby salientou, era a força criativa de Deus em todos nós.

Quimby viajou imediatamente em sua mente e contemplou o ideal divino, ou seja, a vitalidade, a inteligência, a harmonia e o poder de Deus trabalhando nos doentes. Foi o que ele disse à mulher: "Portanto, para onde eu vou, vocês não podem vir, pois vocês estão em sua fé estreita e eu estou de saúde". Esta oração e explicação produziram uma impressão imediata e uma mudança radical na mente da mulher. Ela começou a andar sem muletas! Quimby disse que foi um dos eventos mais singulares de todas as suas curas. Ela estava, por assim dizer, morta por causa de seus erros e, assim, ao fazê-la ver a verdade, foi como trazê-la de volta à vida. Quimby citou a ressurreição de Cristo e a aplicou à saúde da mulher; isto teve um efeito poderoso sobre ela. Ele também lhe explicou que a verdade, que ela aceitou, era o anjo ou idéia, que rolou a pedra do medo, da ignorância e da superstição, liberando assim o poder curativo de Deus, que a fez inteira.

O método do decreto

O poder entra em nossa palavra de acordo com o sentimento e a fé por trás dele. Quando percebemos que o poder que move o mundo move-se em nosso nome e apóia nossa palavra, nossa confiança e segurança crescem. Não procuramos acrescentar poder ao poder; portanto, não deve haver esforço mental, coerção, força ou luta mental.

Uma jovem usou o método do decreto em um jovem que lhe telefonava constantemente, a pressionava para marcar encontros e a encontrava em seu local de trabalho; ela achou muito difícil se livrar dele. Ela decretou o seguinte: "Deixo o nome do homem a Deus". Ele está sempre no lugar certo. Eu sou livre e ele é livre. Agora eu decido que minhas palavras vão em frente na mente infinita e isso o faz passar. E faz". Ela disse que ele desapareceu e nunca mais o viu desde então, acrescentando: "Foi como se a terra o tivesse engolido".

E tu decretarás uma coisa, e ela te será estabelecida; e luz brilhará sobre teus caminhos. Trabalho 22:28.

Servir a si mesmo com a verdade científica

1.
Torne-se um engenheiro mental e use técnicas comprovadas para construir uma vida sólida e grandiosa.

2.
Seu desejo é sua oração. Imagine a realização de seu desejo, sinta sua realidade e experimente a alegria da oração respondida.

3.
O desejo realiza as coisas de uma maneira simples com a ajuda segura da ciência mental.

4.
É possível alcançar excelente saúde, sucesso e felicidade a partir dos pensamentos que surgem das profundezas da mente.

5.
Experimente cientificamente até provar que há sempre uma resposta direta da Inteligência Infinita de sua mente inconsciente ao seu pensamento consciente.

6.
Experimente a alegria de antecipar uma realização segura de seu desejo. Toda imagem mental em sua mente é a substância das coisas desejadas e evidência de coisas não tangíveis.

7.

Uma imagem mental vale mais do que mil palavras. Seu inconsciente transferirá qualquer imagem de uma mente sustentada pela fé.

8.

Evite qualquer esforço mental ou compulsão na oração. Entre em um estado de sono e fique ciente de que sua oração será atendida.

9.

Lembre-se de que o espírito de gratidão está sempre próximo das riquezas do universo.

10.

Afirmar é declarar que uma coisa é assim, e tomando esta atitude como verdadeira, independentemente de qualquer evidência em contrário, você receberá uma resposta a sua oração.

11.

Gerar ondas eletrônicas de harmonia, saúde e paz, pensando no amor e na glória de Deus.

12.

O que você decreta e sente para ser verdade, acontecerá. Declarar harmonia, saúde, paz e abundância.

Capítulo VII - O inconsciente se move na direção da vida

Mais de noventa por cento de nossa vida mental está inconsciente, portanto, aqueles que não conseguem fazer uso desse maravilhoso poder vivem dentro de limites muito estreitos. Os processos subconscientes são sempre vitais e construtivos. Seu subconsciente é o construtor de seu corpo e mantém todas as suas funções vitais. Está trabalhando 24 horas por dia e nunca dorme, num esforço constante para ajudar e preservar você.

Sua mente inconsciente está em contato com a vida infinita e a sabedoria sem limites, e seus impulsos e idéias estão sempre vivos. Grandes aspirações, inspirações e visões para uma vida mais nobre surgem do inconsciente. Suas crenças mais profundas são aquelas que você não pode discutir racionalmente porque elas não vêm de sua mente consciente, mas de sua mente inconsciente. Seu inconsciente fala com você usando impulsos, intuições, conselhos e idéias, e sempre o convida a transcender, crescer, progredir e avançar para alturas maiores. O impulso para amar, para salvar a vida dos outros vem das profundezas de sua mente inconsciente.

Por exemplo, durante o grande terremoto e incêndio de São Francisco de 18 de abril de 1906, pessoas inválidas e deficientes que haviam sido confinadas por longos períodos de tempo se levantaram e realizaram algumas das mais surpreendentes proezas de coragem e resistência. Seu intenso desejo de salvar os outros a todo custo levou seus inconscientes a responderem de acordo.

Grandes artistas, músicos, poetas, ensaístas e escritores se sintonizam em seu inconsciente e são assim inspirados. Por exemplo, Robert Louis Stevenson, antes de ir dormir, costumava trabalhar seu inconsciente com o desenvolvimento de suas histórias enquanto dormia. Ele costumava pedir à sua mente inconsciente que lhe desse uma história que vendesse bem quando sua conta bancária estivesse no vermelho. Stevenson afirmou que a inteligência de sua mente profunda lhe deu histórias uma peça de cada vez, como uma série. Isto mostra como nosso inconsciente pode revelar sabedoria da qual a mente consciente nada sabe.

Mark Twain declarou em várias ocasiões que nunca havia trabalhado em sua vida. Todo seu humor e todas as suas grandes obras eram produtos da fonte inesgotável que era sua mente inconsciente.

Como o corpo retrata o funcionamento da mente

A interação entre a mente consciente e inconsciente requer uma interação semelhante entre o sistema nervoso correspondente. O sistema cerebrospinal é o órgão da mente consciente, e o sistema simpático é o órgão da mente inconsciente. O sistema cerebrospinal é o canal através do qual você recebe a percepção consciente através de seus cinco sentidos físicos e exerce controle sobre o movimento de seu corpo. Este sistema tem seus nervos no cérebro, e é o canal de sua função mental voluntária e consciente.

Os dois sistemas podem funcionar separadamente ou de forma síncrona. O juiz Thomas Troward em The Edinburgh Lectures on Mental Science (New York: Robert McBride & Co 1909) diz: "O nervo vago passa da região cerebral como uma porção do sistema voluntário, e através dele os órgãos vocais são controlados", depois passa para o tórax enviando ramos para o coração e pulmões; finalmente, passando pelo diafragma, perde sua cobertura externa, o que distingue os nervos do sistema voluntário e se identifica com os do sistema simpático, formando assim um elo entre os dois e fazendo do homem fisicamente uma entidade.

Da mesma forma, diferentes áreas do cérebro indicam sua conexão com as atividades objetivas e subjetivas da mente respectivamente, e falando de uma maneira geral podemos atribuir a parte dianteira do cérebro à primeira e a parte posterior à segunda, enquanto a parte intermediária participa do caráter de ambas".

Uma maneira bastante simples de ver esta interação mental e física é perceber que sua mente consciente agarra as idéias e induz uma

94

vibração correspondente em seu sistema nervoso voluntário. Isto, por sua vez, faz com que uma corrente semelhante seja gerada em seu sistema nervoso involuntário, entregando assim a idéia à sua mente inconsciente, que é o meio criativo.

É assim que seus pensamentos se tornam coisas reais.

Cada pensamento entretido por sua mente consciente e aceito como verdadeiro é enviado do cérebro para o plexo solar, o cérebro da mente inconsciente, para ser transformado em sua carne, e para ser trazido ao seu mundo como realidade.

Há uma inteligência que cuida do corpo

Quando se estuda o sistema celular e a estrutura dos órgãos - tais como olhos, ouvidos, coração, bexiga, etc. - aprende-se que eles são compostos de agrupamentos de células, que formam uma inteligência de grupo: eles funcionam juntos e são capazes de receber ordens e executá-las em uma função dedutiva por sugestão da mente consciente.

Um estudo cuidadoso de um organismo unicelular pode mostrar o que se passa em seu corpo mais complexo. Embora o organismo unicelular não tenha órgãos, ele ainda demonstra ação e reação mental ao desempenhar as funções básicas de movimento, nutrição, assimilação e eliminação.

Muitos dizem que há uma inteligência que cuidará de seu corpo se você deixar. Isto é verdade, mas a parte difícil é que a mente consciente sempre interfere em suas deduções baseadas nos cinco sentidos e aparências externas, levando a falsas crenças, medos e opiniões. Quando o medo, as falsas crenças e os padrões negativos podem ser registrados em sua mente inconsciente através de condicionamentos psicológicos e emocionais, não há outra solução para a mente inconsciente a não ser agir sobre as especificidades do projeto que lhe é oferecido.

A mente inconsciente está constantemente trabalhando para o bem comum

O eu subjetivo dentro de você trabalha continuamente para o bem geral, refletindo o princípio inato da harmonia por trás de tudo. A mente inconsciente tem uma vontade própria e é muito real em si mesma. Funciona dia e noite, quer você aja ou não. É o construtor de seu corpo, mas você não pode vê-lo, nem ouvi-lo construir, porque tudo isso é um processo silencioso. Seu inconsciente tem uma vida própria, que está sempre em direção à harmonia, saúde e paz. Esta é a norma divina interior que procura se expressar em você em todos os momentos.

Como o homem interfere com o princípio inato da harmonia

Para pensar corretamente, cientificamente, devemos conhecer a "verdade". Conhecer a verdade é estar em harmonia com a Inteligência Infinita e o poder da mente inconsciente, que sempre tende para a vida.

Qualquer pensamento ou ação que não seja harmonioso, por qualquer razão, levará a discórdias e limitações de todo tipo.

Os cientistas afirmam que você constrói um "novo corpo" a cada onze meses; portanto, de um ponto de vista puramente físico, você tem apenas onze meses de idade. Se os defeitos se acumulam novamente em seu corpo, causados por pensamentos de medo, raiva, ciúme e má vontade, você não tem ninguém a quem culpar, a não ser você mesmo.

Você é a soma total de seus pensamentos. Você pode evitar entreter pensamentos e imagens negativas. A maneira de se livrar da escuridão é usar a luz; a maneira de combater o frio é com calor; a maneira de superar o pensamento negativo é substituí-lo pelo pensamento positivo. Fazer desaparecer os maus afirmando os bons.

A saúde é a norma, a doença não é

Um recém-nascido que veio ao mundo é saudável e tem todos os seus órgãos totalmente funcionais. Isto é normalidade, e devemos permanecer saudáveis, vitais e fortes. O instinto de autopreservação é o instinto mais forte de nossa natureza e é uma verdade poderosa, sempre presente e em constante funcionamento, inerente a nós. É óbvio, portanto, que todos os pensamentos, idéias e crenças agirão com maior intensidade quando estiverem em harmonia com o princípio de vida inata dentro de nós, que sempre procura nos preservar e proteger em todas as esferas. Segue-se que as condições normais podem ser restauradas mais facilmente do que as condições anormais podem ser induzidas.

Estar doente não é uma condição normal; significa simplesmente que se está indo contra a maré da vida e pensando negativamente. A lei da vida é uma lei de crescimento e evolução; o conjunto da natureza testemunha o funcionamento desta lei e é uma expressão constante e tranqüila da mesma. Quando há crescimento e expressão, deve haver vida; onde há vida, deve haver harmonia, e onde há harmonia, há saúde perfeita.

Se seus pensamentos estão em harmonia com o princípio criativo de sua mente inconsciente, você está em sintonia com o princípio inato da harmonia. Se você tiver pensamentos que não estejam de acordo com o princípio da harmonia, esses pensamentos vão se apegar a você, preocupando-o e causando doenças; e se continuarem, talvez até mesmo a morte.

Na cura da doença, é necessário aumentar o influxo e a distribuição das forças vitais da mente inconsciente em todo o sistema. Isto pode ser feito eliminando pensamentos de medo, preocupação, ansiedade, ciúmes, ódio e, geralmente, quaisquer outros pensamentos destrutivos que tendem a destruir os nervos e células - em suma, o tecido corporal que controla a eliminação de todo o material desperdiçado.

Cura para a doença de Pott

Na revista Nautilus de março de 1917, apareceu um artigo sobre um menino que sofria da doença de Pott, ou tuberculose extrapulmonar, que fez uma recuperação extraordinária. Seu nome era Frederick Elias Andrews de Indianapolis, agora padre da Escola de Cristianismo da Unidade, Kansas City, Missouri. O médico o declarou incurável e terminal. Frederick começou a rezar, e de um inválido retorcido que se arrastava de quatro, ele se tornou um homem forte, reto e bem formado. Ele criou sua própria afirmação ao absorver mentalmente as qualidades de que precisava.

Frederick afirmou várias vezes ao dia: "Sou inteiro, perfeito, forte, poderoso, cheio de amor, harmonioso e feliz". Ele perseverou, repetindo esta oração antes de ir dormir e logo pela manhã. Ele também rezava pelos outros, enviando pensamentos de amor e saúde. Esta atitude de sua mente e esta forma de rezar voltaram a ele, multiplicadas até o nésimo grau. Sua fé e perseverança valeram a pena.

Se pensamentos de medo, raiva, ciúme ou inveja penetrassem em sua mente, ele os contrariava através de seu grande poder de afirmação. Sua mente inconsciente respondeu de acordo com a natureza de seu pensamento habitual. Este é o significado da declaração bíblica Go, sua fé o salvou (Marcos 10:52).

A fé em sua força inconsciente o torna inteiro

Um jovem que assistiu minhas palestras sobre o poder curativo da mente inconsciente teve graves problemas oculares que, de acordo com seu médico, exigiam uma operação. Ele pensou: "Minha mente inconsciente criou meus olhos e pode curá-los".

Todas as noites, antes de dormir, ele entrava num estado meditativo, uma condição de sono. Sua atenção estava imovavelmente voltada para o oftalmologista. Ele imaginou que o médico estava diante dele, e ouviu claramente, ou imaginou que ouviu, o médico lhe dizer: "Um milagre aconteceu! Ele o ouviu repetir isto todas as noites por cerca de cinco minutos antes de dormir. Após três semanas, ele retornou ao oftalmologista que havia examinado previamente seus olhos, que lhe disse: "Isto é um milagre".

O que aconteceu? Este menino formou uma impressão em sua mente inconsciente, usando o médico como um conduto para convencer ou transmitir a idéia. Através da repetição, crença e expectativa, o menino impregnou e influenciou sua mente inconsciente.

Sua mente inconsciente criou seus olhos em um padrão perfeito e, portanto, se mobilizou para curá-los. Este é outro exemplo de como a fé no poder curativo de sua mente inconsciente pode ser poderosa.

Recapitulemos os pontos mais importantes

1.
Seu inconsciente é o construtor de seu corpo e está no trabalho várias horas por dia. O pensamento negativo interfere em seus padrões de vida.

2.
Antes de dormir, dê a sua mente inconsciente a tarefa de encontrar uma resposta para qualquer problema e ela lhe responderá.

3.
Preste atenção aos seus pensamentos. Todo pensamento aceito como verdadeiro é enviado do cérebro para seu plexo solar - o cérebro abdominal - e será apresentado em seu mundo como uma realidade.

4.
Você pode reconstruir-se dando à sua mente inconsciente um novo projeto.

5.
A tendência de sua mente inconsciente é para a vida. O que precisa ser trabalhado é sua mente consciente. Alimente sua mente

inconsciente com verdadeiras premissas. Seu inconsciente sempre reproduz seus padrões mentais habituais.

6.

O corpo se renova a cada onze meses. Mude seu corpo, mudando seus pensamentos e mantendo-os mudados.

7.

É normal ser saudável. É anormal estar doente. Este é o princípio inato da harmonia.

8.

Pensamentos de ciúmes, medo, preocupação e ansiedade destroem nervos e células, causando doenças mentais e físicas de todos os tipos.

9.

O que você afirma e sente conscientemente ser verdade se manifestará em sua mente, em seu corpo e em sua vida. Afirmar o bem e abraçar a alegria de viver.

Capítulo VIII - Obtendo os resultados que você deseja

As principais razões para o fracasso são a falta de autoconfiança ou o excesso de esforço. Muitas pessoas bloqueiam respostas a suas orações por não compreenderem totalmente como funciona a mente inconsciente. Quando você sabe como funciona a mente, você ganha autoconfiança. É importante lembrar que sempre que a mente inconsciente aceita uma idéia, ela começa imediatamente a executá-la. Ela utiliza todos os seus poderosos recursos para este fim e mobiliza todas as leis mentais e espirituais de sua mente mais profunda. Esta lei se aplica tanto às boas quanto às más idéias. Conseqüentemente, se você o utiliza de forma negativa, traz problemas, falhas e confusão. Quando utilizado de forma construtiva, oferece orientação, liberdade e tranqüilidade.

Você só pode obter uma resposta positiva quando seus pensamentos são positivos, construtivos e amorosos. A partir disto, é perfeitamente óbvio que a única coisa que você tem que fazer para superar o fracasso é fazer com que seu inconsciente aceite sua idéia ou pedido, sentindo sua realidade, e a lei da mente fará o resto. Responda a seu pedido com fé e confiança e seu inconsciente entrará em ação e responderá por você.

Você nunca alcançará resultados tentando usar a coerção mental - a mente inconsciente não responde à coerção, ela só responde à crença ou aceitação pela mente consciente.

A falta de resultados também pode resultar de afirmações como: "As coisas estão piorando". "Eu nunca terei uma resposta". "Não vejo saída". "Estou sem esperança". "Eu não sei o que fazer". "Estou confuso". Quando você usa tais declarações, não obtém nenhuma resposta ou cooperação da mente inconsciente. Não se vai nem para frente nem para trás, não se chega a lugar nenhum.

Se você entrar em um táxi e der ao motorista uma série de direções diferentes em cinco minutos, você só o confundirá e o pobre homem provavelmente se recusará a carregá-lo. O mesmo se aplica quando se trabalha com a mente inconsciente. Deve haver uma idéia clara em sua mente. É preciso chegar à decisão definitiva de que existe uma saída, uma solução para o problema problemático da doença. Somente a Inteligência Infinita em sua mente inconsciente sabe a resposta. Quando você chega a essa conclusão clara em sua mente consciente, sua decisão é tomada, e você terá o que está convencido de que você está.

Leve seu tempo

Um proprietário de casa uma vez se opôs a um reparador de fornos que lhe apresentou uma fatura de duzentos dólares para consertar sua caldeira. A resposta do operário foi: 'cobrei cinco centavos pelo parafuso que faltava e cento e noventa e nove dólares e noventa e cinco centavos para descobrir o que estava errado'.

Da mesma forma, sua mente inconsciente é como um sábio reparador, conhecendo as formas e meios de curar qualquer órgão em seu corpo, bem como seus negócios. Declarar saúde, e o inconsciente a estabelecerá, mas o relaxamento é a chave. "Leve seu tempo". Não se preocupe com os detalhes e os meios, apenas pense no resultado final. Experimente a sensação de uma solução para o seu problema, seja ele saúde, finanças ou trabalho. Lembre-se de como você se sentiu depois de se recuperar de uma doença grave. Tenha em mente que seu sentimento é a referência para qualquer demonstração subconsciente. Sua nova idéia deve ser sentida subjetivamente em um estado finito, não no futuro, mas como se fosse o presente.

Use sua imaginação e não a força de vontade

Usando sua mente inconsciente, nenhum adversário é deduzido, nenhuma força de vontade é usada. Imagine o fim, e o estado de liberdade. Você notará que seu intelecto tenta atrapalhar, mas persiste em manter uma fé simples, infantil e milagrosa. Imagine que você tem uma desordem ou um problema. Imagine o acompanhamento emocional do estado de liberdade que você deseja. Remover toda a burocracia do processo. O caminho mais simples é o melhor caminho.

A imaginação disciplinada faz maravilhas

Uma maneira maravilhosa de obter uma resposta de sua mente inconsciente é através de uma imaginação disciplinada ou científica. Como foi apontado anteriormente, sua mente inconsciente é o construtor do corpo e controla todas as suas funções vitais.

A Bíblia diz: "Tudo o que você pede em oração, acreditando, você receberá". Acreditar é aceitar algo como verdadeiro, ou viver no estado de ser. Ao sustentar este estado de ser, você experimentará a alegria da oração respondida!

Três passos para uma oração bem sucedida

O procedimento usual é o seguinte:

1.
Pense sobre o problema.

2.
Pense na solução conhecida apenas para a mente inconsciente.

3.
Descanse em um estado de profunda convicção.

Não enfraqueça sua oração dizendo: "Espero estar curado". "Espero que sim". Seu sentimento sobre a solução é o que conta. A harmonia é fundamental. Torne-se inteligente, tornando-se um veículo para o infinito poder de cura da mente inconsciente. Levar a idéia de saúde à mente inconsciente até o ponto de convicção; depois relaxar. Diga à condição e circunstância: "Isto também deve passar". Através do relaxamento, você imprime na mente inconsciente, permitindo que a energia cinética por trás da idéia assuma o controle e alcance a realização.

A lei do esforço invertido e por que você obtém o oposto do que você reza

Coue, um famoso psicólogo francês que visitou a América há cerca de quarenta anos, definiu a lei do esforço invertido da seguinte forma: "Quando seus desejos e sua imaginação estão em conflito, sua imaginação invariavelmente vence".

Se, por exemplo, você fosse solicitado a andar sobre uma prancha no chão, você o faria sem hesitar. Agora suponha que as mesmas tábuas fossem colocadas a vinte metros de altura entre duas paredes. Você gostaria de caminhar sobre eles? Seu desejo de andar seria frustrado por sua imaginação ou medo de cair. Sua idéia dominante, que seria a imagem de uma queda, prevaleceria. Seu desejo, vontade ou esforço de andar no quadro seria revertido e sua idéia dominante de fracasso seria reforçada.

O esforço mental é invariavelmente autodestrutivo, alcançando sempre o oposto do que se deseja. Sugestões de impotência para superar a condição dominam o indivíduo; seu inconsciente é sempre controlado pela idéia dominante. Seu inconsciente aceitará o mais forte das duas propostas contraditórias. O caminho sem esforço é o melhor caminho.

Se você diz: "Eu quero a cura, mas não consigo", "Eu me esforço tanto", "Eu me forço a rezar", "Eu uso toda a força de vontade que tenho", você deve perceber que seu erro está em seu esforço. Nunca tente forçar a mente inconsciente a aceitar sua idéia, exercendo força de vontade. Tais tentativas estão condenadas ao fracasso e você obtém o oposto daquilo pelo qual você rezou.

O que se segue é uma experiência bastante comum. Os estudantes, ao fazer exames e estudar suas anotações, muitas vezes sentem como se todo seu conhecimento os tivesse deixado de repente. Suas mentes ficam em branco e não conseguem se lembrar de um pensamento relevante. Quanto mais eles rangem os dentes e invocam os poderes da vontade, mais as respostas parecem escapar. Mas, quando saem da sala de exame e a pressão mental relaxa, as respostas que procuram retornam à sua mente. Tentar se forçar a lembrar foi a causa de seu fracasso. Este é um exemplo da lei do esforço invertido, pela qual se obtém o oposto do que se estava pedindo ou orando.

O conflito de desejo e imaginação deve ser reconciliado

Usar a força mental é assumir que há oposição. Quando a mente está concentrada nos meios para superar um problema, ela não está mais interessada no obstáculo. Mateus 18:19 diz: Se dois de vós, acima da terra, concordarem em pedir alguma coisa, meu Pai celestial vos concederá isso.

Quem são estes dois? Significa a união harmoniosa entre seu consciente e inconsciente sobre qualquer idéia, desejo ou imagem mental. Quando não houver mais nenhuma discussão em nenhuma das partes de sua mente, sua oração será respondida. As duas partes concordantes também podem ser interpretadas como um indivíduo e seu desejo, pensamento e sentimento, sua idéia e emoção, seu desejo e imaginação.

Evite qualquer conflito entre seus desejos e sua imaginação, entrando em um estado de sonolência que minimize todo esforço. A mente consciente fica em grande parte submersa quando se está em estado de sono. O melhor momento para impregnar a mente inconsciente é antes de dormir e imediatamente após o despertar. Neste estado, os pensamentos e imagens negativas que tendem a neutralizar o desejo e assim impedir a aceitação por parte da mente inconsciente não ocorrem mais. Quando você imagina a realidade do desejo realizado e sente a emoção da realização, seu inconsciente traz consigo a realização de seu desejo.

Muitas pessoas resolvem todos os seus dilemas e problemas com a ação de sua imaginação controlada, dirigida e disciplinada, sabendo que tudo o que imaginam e sentem como verdadeira vontade e deve acontecer.

O seguinte ilustra como uma garota superou o conflito entre seu desejo e sua imaginação. Ela ansiava por uma solução harmoniosa para seu problema legal, mas sua imaginação mental estava constantemente focada no fracasso, na perda, na falência e na pobreza. Foi um caso complicado e houve um adiamento atrás do outro sem solução à vista.

Por minha sugestão, todas as noites antes de ir dormir, ela entrava num estado de relaxamento e começava a imaginar o final feliz, o melhor que podia. Ele sabia que a imagem em sua mente tinha que concordar com o desejo de seu coração. Antes de dormir, ela começou a ver seu advogado da maneira mais viva possível, argumentando animadamente com ele sobre o resultado do caso. Ela lhe fez perguntas e ele as respondeu apropriadamente. Ele lhe disse repetidamente: "Havia uma solução perfeita e harmoniosa". "O caso foi resolvido fora do tribunal". Durante o dia, quando pensamentos de medo entraram em sua mente, ela repetiu esta imagem mental com gestos, voz e sons. Ele podia facilmente lembrar o som de sua voz, o sorriso e os gestos da imagem de seu advogado. Ele realizou este quadro mental com tanta freqüência que ele se tornou um padrão subjetivo. Após algumas semanas, a advogada ligou e confirmou o que ela havia imaginado e sentido como sendo verdade.

Isto é o que o salmista quis dizer quando escreveu: "Que as palavras de minha boca (teus pensamentos, tuas imagens mentais, o bem) e as meditações de meu coração (teus sentimentos, tua natureza, tua emoção) sejam aceitáveis aos teus olhos, ó Senhor (a lei de tua mente inconsciente), minha força e meu redentor (o poder e a sabedoria de tua mente inconsciente podem te redimir de doenças, escravidão e miséria). Salmo 19:14.

Idéias para levar com você

1.

A coerção mental ou muito esforço mostra ansiedade e medo bloqueando sua resposta. Leve seu tempo

2.

Quando a mente está relaxada e uma idéia é aceita, o inconsciente começa a trabalhar para realizar a idéia.

3.

Pense e planeje independentemente dos métodos tradicionais. Há sempre uma resposta e uma solução para cada problema.

4.

Não se preocupe muito com o bater de seu coração, com a respiração de seus pulmões ou com as funções de sua anatomia. Confie em seu inconsciente e proclame freqüentemente que a ação divina correta está em andamento.

5.

O sentimento de saúde produz saúde, o sentimento de riqueza produz riqueza. Como você se sente?

6.

A imaginação é sua faculdade mais poderosa. Imagine o que é belo e bom. Você é o que você se imagina ser.

7.

Você evita o conflito entre o consciente e o inconsciente no estado de sono. Imagine a realização de seu desejo uma e outra vez antes de dormir. Dormir em paz e acordar em alegria.

Capítulo IX - Como Usar o Poder do Inconsciente para Ganhar Riqueza

Se você tem dificuldades financeiras, isso significa que não convenceu sua mente inconsciente de que sempre terá muita riqueza. Você conhece pessoas que trabalham algumas horas por semana e ganham enormes somas de dinheiro. Eles não quebram as costas durante todo o dia. Não acredite na história de que a única maneira de se tornar rico é pelo suor de sua testa e pelo trabalho duro. Não é assim; o estilo de vida sem esforço é o melhor. Faça o que você ama e faça-o por alegria.

Conheço um executivo em Los Angeles que recebe um salário de 75.000 dólares por ano. No ano passado, ele foi em um cruzeiro de nove meses para ver o mundo e seus pontos turísticos. Ele me disse que tinha conseguido convencer sua mente inconsciente de que valia tanto dinheiro. Ele me disse que muitos homens de sua organização que recebiam cerca de cem dólares por semana sabiam mais sobre negócios do que ele e podiam dirigi-los melhor, mas não tinham ambição, nem idéias criativas e não estavam interessados nas maravilhas de sua mente inconsciente.

A riqueza é da mente

A riqueza é simplesmente uma crença inconsciente por parte do indivíduo. Você não se tornará milionário dizendo: "Eu sou milionário, eu sou milionário". Você se tornará uma consciência de riqueza ao construir em sua mente a idéia de riqueza e abundância.

Seu meio invisível de apoio

O problema com a maioria das pessoas é que elas não têm meios invisíveis de apoio. Quando seus negócios caem, a bolsa de valores cai ou eles perdem investimentos, essas pessoas não podem fazer nada a respeito. A razão de tal insegurança é que eles não sabem como entrar em contato com a mente inconsciente. Eles não conhecem a inesgotável riqueza dentro deles.

Um homem com uma mente pobre está na pobreza. Outro homem com uma mente cheia de idéias de riqueza está cercado por tudo o que precisa. Ninguém jamais disse que o homem deve levar uma vida de miséria. Você pode ter riqueza, tudo o que precisa e muito a mais. Suas palavras têm o poder de purificar sua mente das idéias erradas e infundir as idéias certas em seu lugar.

O método ideal para construir a consciência de riqueza

Talvez você esteja pensando, lendo este capítulo: "Eu preciso de riqueza e sucesso". Eis como fazê-lo - repita por cerca de cinco minutos para si mesmo três ou quatro vezes ao dia: "riqueza e sucesso". Estas palavras têm um enorme poder. Eles representam o poder interior da mente inconsciente. Ancore sua mente a este poder substancial dentro de você; então as condições e circunstâncias correspondentes a sua natureza e qualidade se manifestarão em sua vida. Você não está dizendo: 'Eu sou rico', mas você está se fixando nos poderes reais dentro de você. Não há conflito na mente quando você diz: "Riqueza". Além disso, o sentimento de riqueza surgirá dentro de você enquanto você se debruça sobre a idéia de riqueza.

O sentimento de riqueza produz riqueza; tenha-o sempre em mente. Sua mente inconsciente é como um banco, uma espécie de instituição financeira universal.

Ele amplia tudo o que você deposita, seja a idéia de riqueza ou de pobreza. Escolha a riqueza.

Por que as reclamações de riqueza falham

Durante os últimos trinta e cinco anos, falei com muitas pessoas cuja queixa é: "Há semanas e meses venho dizendo: 'Sou rico' e nada aconteceu". Descobri que quando disseram essa frase, sentiram que estavam mentindo para si mesmos.

Um homem me disse: "Afirmei ser rico até me cansar disso". As coisas pioraram agora. Quando disse a mim mesmo tal afirmação, senti que obviamente não era verdade". Suas reivindicações foram rejeitadas pela mente consciente, e exatamente o contrário do que ele afirmava se manifestava.

Sua afirmação é melhor sucedida quando é específica e quando não produz um conflito ou argumento mental; portanto, as afirmações deste homem pioraram as coisas porque sugeriram sua falta dela. Seu inconsciente aceita o que você realmente sente como verdade, não apenas palavras ou declarações inúteis. A idéia ou crença dominante é sempre aceita pela mente inconsciente.

Como evitar conflitos mentais

O seguinte é o caminho ideal para superar este conflito, para aqueles que têm esta dificuldade. Faça esta afirmação prática com freqüência, especialmente antes de dormir: "Dia e noite, estou prosperando em todos os meus interesses". Esta declaração não provocará nenhuma discussão na mente porque não contradiz a impressão de sua mente inconsciente de falta financeira.

Sugeri a um empresário, cujas vendas eram muito baixas e que estava muito preocupado, que se sentasse em seu escritório, ficasse calado e repetisse esta afirmação vezes sem conta: "Minhas vendas estão melhorando a cada dia". Esta declaração ativou a cooperação da mente consciente e inconsciente, e trouxe excelentes resultados.

Não assinar cheques em branco

Quando você faz afirmações como: "Não há o suficiente para sobreviver". "Há uma escassez". "Vou perder minha casa por causa da hipoteca", é como passar cheques em branco. Se você se sente cheio de medo do futuro, é como passar um cheque em branco e atrair condições negativas. Sua mente inconsciente considera seu medo e sua declaração negativa como uma exigência e procede à sua maneira para trazer obstáculos, atrasos e limitações à sua vida.

111

Seu inconsciente amadurece os interesses

Àquele que tem o sentimento de riqueza, mais riqueza será acrescentada; àquele que tem o sentimento de falta, mais falta será acrescentada. Seu inconsciente se multiplica e amplia o que quer que você deposite. Toda manhã, ao acordar, opte por depositar pensamentos de prosperidade, sucesso, riqueza e paz. Entretenha-se com estes pensamentos com a maior freqüência possível. Estes pensamentos construtivos encontrarão seu caminho como depósitos em sua mente inconsciente, e produzirão abundância e prosperidade.

Porque nada aconteceu

Eu ouço você dizer: 'Oh, eu fiz isso e nada aconteceu'. Você não teve sucesso porque se entregou a pensamentos de medo talvez dez minutos depois e neutralizou o bem que havia afirmado. Quando você coloca uma semente no chão, não a desenterra. É preciso deixá-lo criar raízes e crescer. Suponha, por exemplo, que você diga: "Eu não poderei fazer esse pagamento". Mesmo antes que você diga "não serei..." pare a frase e se detenha em uma declaração construtiva, como "De dia e de noite prosperarei em todos os sentidos".

Verdadeira fonte de riqueza

Sua mente inconsciente nunca está com falta de idéias. Há um número infinito de idéias prontas para fluir em sua mente consciente e aparecer como dinheiro em seu portfólio mental de inúmeras maneiras. Este processo continuará em sua mente independentemente de o mercado acionário subir ou descer, ou se a libra ou o dólar cair em valor. A riqueza nunca é realmente dependente de títulos, ações ou dinheiro no banco; estes são realmente apenas símbolos -necessários e úteis, é claro, mas apenas símbolos.

O que eu quero dizer é que se você convencer sua mente inconsciente de que merece riqueza, e você tem que obtê-la em sua vida, você sempre a terá, não importa a forma que ela assuma.

112

A verdadeira causa é a tentativa de conseguir o sustento

Há pessoas que afirmam que estão sempre lutando para conseguir pagar as contas. Eles parecem ter grande dificuldade em cumprir suas obrigações. Você já ouviu a conversa deles? Em muitos casos, a conversa deles vai nessa direção. Eles condenam aqueles que tiveram sucesso na vida e que se destacaram da multidão. Talvez digam: "Oh, esse cara é implacável; não tem escrúpulos; é um vigarista". É por isso que eles têm falhas - eles condenam o que querem e desejam. A razão pela qual criticam as pessoas mais ricas é porque são invejosas e cobiçosas da prosperidade dos outros. A maneira mais rápida de tirar as asas e voar para longe é criticar e condenar os outros que têm mais riqueza do que você.

Um bloco comum

Há uma emoção que é a causa da falta de riqueza na vida de muitos. A maioria das pessoas aprende isso da maneira mais difícil. É a inveja. Por exemplo, se você vê um concorrente depositando grandes somas de dinheiro no banco enquanto você tem apenas uma pequena quantia para depositar, isso o deixa invejoso? A maneira de superar esta emoção é dizer a si mesmo: "Que maravilha! Eu me alegro com a prosperidade desse homem. Desejo-lhe uma riqueza cada vez maior".

Entreter pensamentos invejosos é devastador porque o coloca em uma posição muito negativa, fazendo com que a riqueza flua de você ao invés de para você. Se você se sente irritado ou irritado pela prosperidade de outra pessoa, declare imediatamente que deseja mais riqueza de qualquer maneira que puder. Isto neutralizará os pensamentos negativos em sua mente e fará com que mais e mais riqueza flua para você pela lei da mente inconsciente.

Destruir esse bloqueio mental

Se você está preocupado e crítico com alguém que você acha que está ganhando dinheiro de forma desonesta, pare de se preocupar com ele. Você sabe que tal pessoa está usando a lei da mente de forma negativa; a lei da mente cuidará dele. Tome cuidado para não criticá-lo pelas razões mencionadas acima. Lembre-se: o bloco ou obstáculo à riqueza está em sua mente. Agora você pode destruir esse bloqueio mental. Isto pode ser feito permanecendo em bons termos mentais com todos.

Dormir e ficar rico

Quando você for dormir à noite, pratique a seguinte técnica. Repita a palavra "Riqueza", em silêncio e de coração. Faça isso repetidas vezes, como uma canção de ninar. "Riqueza". Você ficará surpreso com o resultado. A riqueza virá até você em abundância. Este é outro exemplo do poder mágico de sua mente inconsciente.

Servir-se com os poderes da mente

1.
Decida ser rico da maneira mais simples, com a ajuda infalível de sua mente inconsciente.

2.
Tentar acumular riqueza pelo suor de sua testa e o trabalho duro não compensa. Você não precisa quebrar suas costas.

3.
A riqueza é uma crença subconsciente. Construa a idéia de riqueza em sua mente.

4.
O problema com a maioria das pessoas é que elas não têm meios invisíveis de apoio.

5.
Repita a palavra "Riqueza" para si mesmo lenta e silenciosamente por cerca de cinco minutos antes de dormir e sua mente inconsciente trará riqueza para sua vida.

6.
O sentimento de riqueza produz riqueza. Tenha sempre isto em mente.

7.

Sua mente consciente e inconsciente deve concordar. Sua mente inconsciente aceita o que você realmente sente ser verdade. A idéia dominante é sempre aceita por sua mente inconsciente. A idéia dominante deveria ser a riqueza, não a pobreza.

8.

Você pode superar qualquer conflito mental relativo à riqueza declarando com freqüência: "Dia após dia prospero em todos os campos".

9.

Aumente suas vendas repetindo sempre esta afirmação: "Minhas vendas estão melhorando a cada dia; estou avançando, progredindo e ficando mais rico a cada dia".

10.

Pare de escrever cheques em branco na forma de declarações como "Não há o suficiente". Tais afirmações ampliam e multiplicam as perdas.

11.

Deposite pensamentos de prosperidade, riqueza e sucesso em sua mente inconsciente, e este último lhe dará interesse.

12.

Não negue mentalmente o que você acabou de afirmar. Isto neutralizará o bem que você afirmou.

13.

Sua verdadeira fonte de riqueza são as idéias em sua mente. Você pode ter uma idéia que vale milhões de dólares. Seu inconsciente lhe dará a idéia que você procura.

14.

A inveja e o ciúme são obstáculos ao fluxo da riqueza. Alegre-se com a prosperidade dos outros.

15.

O obstáculo à riqueza está em si mesmo. Destrua esse bloco, colocando-se em bons termos mentais com todos.

Capítulo X - A riqueza é um direito seu

A riqueza é um direito seu. Você está aqui para levar uma vida abundante e feliz, radiante e livre. Você deve, portanto, ter todo o dinheiro necessário para levar uma vida plena, feliz e próspera.

Você está aqui para crescer, desenvolver-se espiritualmente, mentalmente e materialmente. Você tem o direito inalienável de se desenvolver plenamente e de se expressar em todas as direções. Você deve se cercar de beleza e luxo.

Por que se contentar apenas com o suficiente quando você pode desfrutar das riquezas de sua mente inconsciente? Neste capítulo, você pode aprender como se reconciliar com o dinheiro. Seu desejo de ser rico é um desejo de uma vida mais plena, mais feliz e mais bela. É um impulso cósmico.

O dinheiro é um símbolo

O dinheiro é um símbolo de troca. Significa não apenas a liberdade da carência, mas também a beleza, o luxo, a abundância e o refinamento. É um símbolo da saúde econômica da nação. Quando seu sangue circula livremente em seu corpo, você está saudável. Quando o dinheiro circula livremente em sua vida, você está economicamente saudável. Quando as pessoas começam a acumular dinheiro, colocando-o em caixas de lata e carregando-o com medo, há uma doença econômica. O dinheiro tomou muitas formas ao longo dos séculos como meio de troca, tais como sal, pedras preciosas e bugigangas de vários tipos. Nos tempos antigos, a riqueza de um homem era determinada pelo número de ovelhas e bois que ele tinha. Agora usamos dinheiro e outros instrumentos semelhantes, pois é muito mais barato passar um cheque do que carregar algumas ovelhas para pagar as contas.

Como se colocar no caminho da riqueza

O conhecimento dos poderes de sua mente inconsciente é o veículo para percorrer o caminho para riquezas de todos os tipos; espirituais, mentais ou financeiras. O estudante das leis da mente acredita e sabe que, independentemente das situações econômicas, flutuações da bolsa de valores, depressão, greves, guerras ou outras condições e circunstâncias, ele estará sempre amplamente previsto, não importando a forma que o dinheiro tomar. A razão para isto é que ele transmitiu a idéia de riqueza a sua mente inconsciente, o que o mantém abastecido onde quer que esteja. Ele se convenceu em sua mente de que o dinheiro flui para sempre e livremente em sua vida e que há sempre muito dele. Se amanhã houvesse um colapso financeiro do governo e todos os bens atuais do homem se tornassem inúteis, como foi o caso dos marcos alemães após a Primeira Guerra Mundial, ele continuaria a atrair riqueza, não importando a forma que a nova moeda tomasse.

Por que você não tem mais dinheiro?

Lendo este capítulo, você provavelmente está dizendo: "Eu mereço um salário mais alto do que eu ganho". Acredito que a maioria das pessoas recebe uma remuneração inadequada. Uma das razões pelas quais muitas pessoas não têm dinheiro é que o condenam silenciosamente ou abertamente. Eles se referem ao dinheiro como "sujo" ou afirmam que "o amor ao dinheiro é a raiz de todo o mal". Outra razão pela qual eles não prosperam é que inconscientemente sentem que existe algum tipo de virtude na pobreza. Este padrão inconsciente pode ser devido à educação que receberam em sua infância, superstição ou pode ser baseado em uma falsa interpretação das escrituras.

Dinheiro e uma vida equilibrada

Um homem me disse uma vez: "Estou falido. Eu não gosto de dinheiro. É a raiz de todo o mal". Tais afirmações representam uma mente confusa e neurótica. O amor pelo dinheiro, com exclusão de tudo o mais, fará com que você fique desequilibrado e desequilibrado. Você está aqui para usar seu poder ou autoridade de forma sensata. Alguns homens cobiçam o poder, outros, o dinheiro.

Se você se concentrar exclusivamente no dinheiro e disser: "Dinheiro é tudo que eu quero; vou acumular dinheiro; nada mais importa", você pode conseguir dinheiro e fazer uma fortuna, mas esqueceu que está aqui para levar uma vida equilibrada. Você também deve satisfazer sua fome de paz de espírito, harmonia, amor, alegria e saúde.

Ao fazer do dinheiro o seu único objetivo, você simplesmente fez uma escolha errada. Você pensou que era tudo o que queria, mas depois de todos os seus esforços você descobriu que não era apenas dinheiro que você precisava. Você também ansiava pela verdadeira expressão de seus talentos ocultos, seu verdadeiro lugar na vida, a beleza e a alegria de contribuir para o bem-estar e o sucesso dos outros. Ao aprender as leis de sua mente inconsciente, você poderia ter um milhão ou muitos milhões, se quisesse, e também ter paz, harmonia, saúde e perfeita expressão de você.

A pobreza é um problema mental

Não há virtude na pobreza; é um problema como qualquer outro problema mental. Se você estivesse fisicamente doente, pensaria que há algo de errado com você, procuraria ajuda para ficar bom. Da mesma forma, se você não tem um fluxo constante de dinheiro em sua vida, há algo radicalmente errado com você.

O impulso do princípio de vida é em direção ao crescimento, expansão e abundância. Você não está aqui para viver em uma barraca, vestir-se em trapos e passar fome. Você deve ser feliz, próspero e bem sucedido.

Por que o dinheiro nunca deve ser criticado

Limpe sua mente de todas as crenças estranhas e supersticiosas sobre dinheiro. Nunca considere o dinheiro como mal ou sujo. Ao fazer isso, você o afastará de você. Lembre-se de que você perde o que condena. Não se pode atrair o que se critica.

Obtendo a atitude certa em relação ao dinheiro

Esta é uma técnica simples que você pode usar para multiplicar o dinheiro em sua vida. Use as seguintes declarações várias vezes ao dia: "Eu gosto de dinheiro, eu o amo, eu o uso com sabedoria, de forma construtiva e judiciosa. O dinheiro está sempre circulando em minha vida. Deixo-o com alegria e ele volta para mim multiplicado. É bom, muito bom. O dinheiro flui para mim em abundância. Uso-o apenas para o bem e sou grato pelo meu bem e pelas riquezas da minha mente.

Como o pensador científico olha para o dinheiro

Suponha, por exemplo, que você tenha encontrado ouro, prata, chumbo, cobre ou ferro no solo. Você poderia considerar estas coisas más? Todo mal vem da compreensão obscura do homem, de sua ignorância, de sua falsa interpretação da vida e do abuso de sua mente inconsciente. Urânio, chumbo ou algum outro metal pode muito bem ter sido usado como meio de troca. Usamos notas de papel, moedas de metal; certamente estas coisas não são más. Os físicos e químicos sabem agora que a única diferença entre um metal e outro é o número e a velocidade de movimento dos elétrons que giram em torno de um núcleo central. Eles podem transformar um metal em outro através do bombardeio de átomos no poderoso ciclotrão. O ouro, sob certas condições, torna-se mercúrio. Acredito que nossos cientistas modernos no futuro próximo poderão produzir sinteticamente ouro, prata e outros metais no laboratório químico. O custo pode ser proibitivo agora, mas pode ser feito. Não consigo imaginar nenhuma pessoa inteligente vendo qualquer mal em elétrons, nêutrons, prótons e isótopos.

O pedaço de papel em seu bolso é composto de átomos e moléculas com seus elétrons e prótons dispostos de forma diferente. Seu número e velocidade de movimento são diferentes. Esta é a única maneira pela qual o papel difere da prata.

Como atrair o dinheiro necessário

Há muitos anos, conheci um jovem na Austrália que queria se tornar cirurgião, mas não tinha dinheiro. Expliquei a ele como uma semente depositada no solo atrai tudo o que precisa para crescer, e que tudo que ele tinha que fazer era tirar uma lição da semente e plantar a idéia necessária em sua mente inconsciente. Para pagar suas despesas, este jovem brilhante limparia consultórios médicos, lavaria janelas e faria reparos. Ele me disse que todas as noites, quando ia dormir, retratava no olho de sua mente um diploma de médico em uma parede com seu nome em letras grandes. Ele limpava e polia os diplomas emoldurados no prédio médico onde trabalhava. Não foi difícil para ele gravar a imagem de um diploma em sua mente e desenvolvê-lo. Houve resultados definitivos, pois ele persistiu com seu quadro mental todas as noites durante cerca de quatro meses.

A seqüência desta história é muito interessante. Um dos médicos gostou deste jovem e depois de ensiná-lo a esterilizar instrumentos, dar injeções hipodérmicas e outros procedimentos de primeiros socorros, ele o contratou como técnico assistente em sua clínica. Mais tarde, o médico o mandou para a faculdade de medicina, às suas próprias custas. Hoje, este jovem se tornou um médico de destaque em Montreal, Canadá. Ele descobriu a lei da atração ao usar sua mente inconsciente da maneira correta. Ele aplicou uma antiga lei que diz: "Com o fim em mente, você desejava os meios para sua realização". O fim, neste caso, era se tornar um médico.

Este jovem foi capaz de imaginar, ver e sentir a realidade de ser um médico. Ele viveu com essa idéia, sustentou-a, alimentou-a e amou-a até que, através de sua imaginação, ela penetrou nas camadas de sua mente inconsciente e se tornou uma convicção, desenhando tudo o que ele precisava para realizar seu sonho.

Por que algumas pessoas não recebem um aumento de salário

Se você está trabalhando em uma grande organização e pensa silenciosa e ressentidamente no fato de ser mal pago, de não ser apreciado e de merecer mais dinheiro e reconhecimento, você está cortando inconscientemente seus laços com essa organização. Você está colocando uma lei em andamento, e um dia seu gerente lhe dirá: "Temos que demiti-lo". Na realidade, foi você quem se despediu. O gerente foi simplesmente o instrumento através do qual seu estado mental negativo foi confirmado. É um exemplo da lei de ação e reação. A ação foi seu pensamento e a reação é a resposta de sua mente inconsciente.

Obstáculos no caminho para a riqueza

Com certeza você já ouviu homens dizerem: "Esse cara é um criminoso", "Ele é um trapaceiro". "Ele recebe dinheiro de forma desonesta". "Ele é uma fraude". "Eu o conhecia quando ele não tinha nada". "Ele é um vigarista, um ladrão e um vigarista".

Se você analisar o homem que fala assim, você descobre que ele geralmente precisa de ajuda ou que sofre de algum problema financeiro ou físico. Talvez seus antigos amigos universitários tenham tido mais sucesso e se tenham distinguido mais do que ele. Agora ele está amargo e invejoso de seu progresso. Em muitos casos, esta é a causa de sua queda. Pensar negativamente nesses colegas de classe e condenar sua riqueza faz com que a riqueza e prosperidade pelas quais ele está orando se desvaneça e fuja. Este homem condena o que ele está orando.

Ele está orando de duas maneiras. Por um lado ele diz: 'A riqueza flui para mim', e na etapa seguinte, silenciosamente ou não, ele diz: 'Eu me ressinto da riqueza daquele cara'.

Tente fazer um esforço para se regozijar com a riqueza de outra pessoa.

Proteja seus investimentos

Se você está procurando conselhos de investimento, ou se está preocupado com ações ou títulos, repita calmamente para si mesmo: "A Infinite Intelligence governa e controla todas as minhas transações financeiras, e o que quer que eu faça prosperará". Faça isso com freqüência e você descobrirá que seus investimentos serão sensatos; além disso, você estará protegido contra perdas, pois lhe será apresentada uma oportunidade de vender suas ações ou títulos antes que qualquer desequilíbrio ocorra.

Nada se ganha por nada

Nas lojas de departamento, a gerência contrata controladores para impedir que as pessoas roubem. Eles prendem todos os dias pessoas que tentam conseguir algo em troca de nada. Todas essas pessoas vivem em uma atmosfera mental de falta e limitação e roubam de si mesmas a paz, harmonia, fé, honestidade, integridade, boa vontade e confiança. Além disso, eles estão trazendo para si todo tipo de perdas, tais como perda de caráter, prestígio, status social e tranqüilidade. Essas pessoas não têm confiança na fonte de fornecimento e compreensão de sua mente. Se eles apelam mentalmente para os poderes de sua mente inconsciente e afirmam ser guiados para sua verdadeira expressão, eles encontrarão trabalho e ganho constante. Então, com honestidade, integridade e perseverança, eles mesmos se tornarão um vencedor para a sociedade em geral.

Fonte constante de dinheiro

Reconhecer os poderes de sua mente inconsciente e o poder criativo de seu pensamento ou imagem mental é o caminho para a riqueza, liberdade e ganho constante. Aceite a abundância em sua mente. Sua aceitação mental e sua expectativa de riqueza têm sua própria lógica e mecânica de expressão. Ao entrar no estado de espírito da riqueza, tudo o que é necessário para uma vida de abundância será realizado.

Que esta seja sua afirmação diária, gravada em seu coração: "Sou um com as infinitas riquezas de minha mente inconsciente". É meu direito de ser rico, feliz e bem-sucedido. O dinheiro flui livre, copiosamente e infinitamente para mim. Estou sempre consciente do meu verdadeiro valor. Eu ofereço meu talento e não tenho problemas financeiros. É maravilhoso"!

Siga estas dicas para obter riquezas

1.

Ouse afirmar que é seu direito de ser rico e sua mente mais profunda honrará seu pedido.

2.

Não deseje apenas o suficiente para sobreviver, mas deseje uma vida de abundância para fazer o que quiser. Esteja atento às riquezas da mente inconsciente.

3.

Quando o dinheiro circula livremente em sua vida, você está financeiramente saudável. Pense no dinheiro como a maré, você sempre terá muito dele. O refluxo e o fluxo da maré é constante.

4.

Conhecendo as leis de sua mente inconsciente, você será sempre abastecido, não importa a forma que o dinheiro tomar.

5.

Uma das razões pelas quais muitas pessoas lutam para conseguir o sustento e nunca têm dinheiro suficiente é que você as condena. O que você condena tira as asas e voa para longe de você.

6.

Não faça do dinheiro um deus. É apenas um símbolo. Lembre-se que as verdadeiras riquezas estão na mente. Você está aqui para levar uma vida equilibrada - isto inclui a aquisição de todo o dinheiro que você precisa.

7.

Não faça do dinheiro seu único objetivo. Afirmar a riqueza, a felicidade, a paz, a verdadeira expressão e o amor e irradiar amor e boa vontade para todos. Então sua mente inconsciente lhe dará um interesse em todos esses campos de expressão.

8.

Não há virtude na pobreza. É um problema da mente que pode e deve ser curado.

9.

Você não está aqui para viver em uma barraca, para se vestir em trapos ou para passar fome. Você está aqui para levar a vida mais próspera possível.

10.

Nunca use as frases "dinheiro sujo" ou "eu desprezo o dinheiro". Perde-se o que se critica. Não há nada de bom ou de ruim, mas pensar nisso em ambas as luzes faz com que seja assim.

11.

Repita com freqüência: "Eu gosto de dinheiro. Eu os utilizo com sabedoria, de forma construtiva e judiciosa. Eu os deixo com alegria e eles voltam para mim multiplicados".

12.

O dinheiro não é mais maléfico do que cobre, chumbo, estanho ou ferro. Todo o mal se deve à ignorância ou ao mau uso dos poderes da mente.

13.

Imaginar o resultado final em sua mente faz com que seu inconsciente responda e preencha seu quadro mental.

14.

Não tente conseguir algo em troca de nada. Você tem que dar para receber. Você deve prestar atenção mental aos seus objetivos, ideais e empreendimentos e a mente mais profunda o apoiará. A chave da riqueza é aplicar as leis da mente inconsciente, imbuindo-a da idéia de riqueza.

Capítulo XI - A mente inconsciente é cúmplice de seu sucesso

Sucesso significa viver com sucesso. Um longo período de paz, alegria e felicidade pode ser chamado de sucesso. A experiência eterna destas qualidades é a vida eterna da qual Jesus fala. As coisas reais na vida, como paz, harmonia, integridade, segurança e felicidade, são intangíveis. Eles vêm do Eu profundo do homem. Meditar sobre estas qualidades constrói estes tesouros do céu em nosso inconsciente.... é onde nem a traça nem a ferrugem consomem, e onde os ladrões não invadem e roubam. Mateus 6:20.

Os três passos para o sucesso

Vamos falar sobre os três passos para o sucesso.

Primeiro passo

O primeiro passo para o sucesso é descobrir o que você gosta de fazer e, em seguida, fazê-lo. O sucesso é amar seu trabalho. Mas se, por exemplo, um homem é psiquiatra, não lhe basta obter um diploma e pendurá-lo; ele deve acompanhar os tempos, participar de conferências e continuar a estudar a mente e seu funcionamento. O psiquiatra de sucesso visita clínicas e lê artigos científicos. Em outras palavras, ele é informado nos métodos mais avançados para aliviar o sofrimento humano. O psiquiatra de sucesso deve ter no coração os melhores interesses de seus pacientes.

Alguém poderia dizer: "Como posso colocar o primeiro passo em funcionamento? "Eu não sei o que devo fazer". Nesse caso, reze assim para obter orientação: "A Inteligência Infinita de minha mente inconsciente me revela meu verdadeiro lugar na vida". Repita esta oração silenciosa, positiva e amorosamente para sua mente mais profunda. Se você persistir com fé e confiança, a resposta virá como um sentimento, uma intuição ou uma tendência em uma determinada direção. Ela chegará até você de forma clara e pacífica, e como uma consciência interior.

Segundo passo

O segundo passo para o sucesso é especializar-se em algum ramo de trabalho em particular e conhecê-lo melhor do que ninguém. Por exemplo, se um jovem escolhe a química como profissão, ele deve se concentrar em um dos muitos ramos do campo. Ele deve dedicar todo o seu tempo e atenção à sua especialidade escolhida. Ele deveria estar suficientemente entusiasmado para tentar saber tudo o que há para saber sobre seu campo; se possível, ele deveria saber mais do que ninguém. O jovem deve interessar-se ardentemente por seu trabalho e desejar servir ao mundo.

Aquele que for maior entre vocês - deixem-no tornar-se seu servo. Há um grande contraste nesta mentalidade com a do homem que só quer ganhar a vida ou simplesmente 'sobreviver'. "Fazer as contas se cumprirem" não é um verdadeiro sucesso. O motivo do homem deve ser mais nobre e mais altruísta. Ele deve colocar-se a serviço dos outros.

Terceiro passo

O terceiro passo é o mais importante. Você deve ter certeza de que o que você quer fazer não se limita ao sucesso. Seu desejo não deve ser egoísta; ele deve beneficiar a humanidade. O caminho de um circuito completo deve ser formado. Em outras palavras, sua idéia deve ir em frente com o propósito de abençoar ou servir o mundo. Em seguida, ele voltará a você de outras formas. Se for apenas para se beneficiar, o círculo ou circuito completo não é formado, e um curto-circuito pode ocorrer em sua vida sob a forma, por exemplo, de limitação ou doença.

A medida do verdadeiro sucesso

Alguns poderiam dizer: "Mas o Sr. X fez sua fortuna de forma fraudulenta". Um homem pode parecer bem sucedido por um tempo, mas o dinheiro obtido por fraude geralmente tira as asas e voa.

Quando roubamos outro, roubamos a nós mesmos, porque estamos em um estado de falta e limitação que pode se manifestar em nosso corpo, vida doméstica e negócios. O que nós pensamos e sentimos, nós criamos. Nós criamos o que acreditamos. Mesmo que um homem tenha acumulado uma fortuna de forma fraudulenta, isto não significa que ele seja bem sucedido. Não há sucesso sem tranqüilidade. De que serve a riqueza se você não consegue dormir à noite, se está doente ou atormentado pela culpa?

Conheci um homem em Londres que me falou de suas façanhas. Ele tinha sido um carteirista profissional e tinha acumulado uma grande quantidade de dinheiro. Ele tinha uma residência de verão na França e vivia luxuosamente na Inglaterra. No entanto, ele estava com medo constante de ser preso pela Scotland Yard. Ele teve muitos tormentos interiores que foram sem dúvida causados por seu constante medo e profunda culpa. Ele sabia que não estava se comportando de forma honesta. Este profundo sentimento de culpa atraiu todos os tipos de problemas para ele. Posteriormente, ele se entregou voluntariamente à polícia e cumpriu a sentença correspondente. Após sua libertação da prisão, ele procurou aconselhamento psicológico e espiritual e foi transformado. Ele encontrou um emprego e se tornou um cidadão honesto e cumpridor da lei. Ele encontrou o que gostava de fazer e estava feliz.

Uma pessoa de sucesso ama seu trabalho e se expressa plenamente. O sucesso depende de um ideal mais alto do que a mera acumulação de riqueza. A pessoa de sucesso é aquela que possui uma forte compreensão psicológica e espiritual. Muitos dos grandes industriais de hoje têm o uso correto da mente inconsciente para agradecer seu sucesso.

Alguns anos atrás, foi publicado um artigo sobre Flagler, um magnata do petróleo. Ele admitiu que o segredo de seu sucesso era sua capacidade de ver um projeto em sua realização. Por exemplo, em seu caso, ele fechou os olhos, imaginou uma grande indústria petrolífera, viu trens correndo nos trilhos, até mesmo ouviu o apito e a fumaça. Tendo visto e ouvido o cumprimento de sua oração, sua mente inconsciente levou à sua realização. Se você imaginar claramente um objetivo, você terá as necessidades, das formas mais surpreendentes, através do poder portentoso da mente inconsciente.

Ao considerar os três passos para o sucesso, nunca se deve esquecer o poder subjacente das forças criativas da mente inconsciente. Esta é a energia por trás de todas as etapas de qualquer plano de sucesso. Seu pensamento é criativo. O pensamento fundido com o sentimento torna-se uma fé ou crença subjetiva, e Seja feito de acordo com sua fé. Mateus 9:29.

O conhecimento de uma força poderosa dentro de você, capaz de realizar todos os seus desejos, lhe dá confiança e um senso de paz. Qualquer que seja seu campo de ação, aprenda as leis de sua mente inconsciente. Quando você souber como aplicar os poderes de sua mente, quando você se expressar plenamente e oferecer seus talentos aos outros, você estará no caminho certo para o verdadeiro sucesso. Se é assunto de Deus, ou parte dele, Deus, por sua própria natureza, está a seu favor, então quem pode estar contra você? Com este conhecimento, não há poder no céu ou na terra que possa lhe negar o sucesso.

Um sonho tornado realidade

Um ator de cinema me confessou que não tinha nenhuma educação formal, mas quando criança sonhava em se tornar um ator de sucesso. Ele passou seus dias trabalhando nos campos, trazendo as vacas para casa e ordenhando-as. Ele me disse: "Eu costumava imaginar ver meu nome em letras grandes em um teatro". Mantive esta imagem por anos até que finalmente fugi de casa. Consegui empregos de meio período na indústria cinematográfica e finalmente chegou o dia em que vi meu nome em letras grandes, como quando eu era um menino"! Depois ele acrescentou: "Conheço o poder da imaginação sustentada para trazer sucesso".

A farmácia dos sonhos

Há trinta anos eu conheci um jovem farmacêutico que recebia quarenta dólares por semana mais uma comissão sobre as vendas: 'Depois de vinte e cinco anos', ele me disse: 'finalmente me aposentarei'.

Eu disse a este cara: "Por que você não tem sua própria loja? Eleve suas expectativas, aumente as possibilidades para seus filhos. Talvez seu filho queira ser um médico, talvez sua filha queira ser um grande músico".

Sua resposta foi que ele não tinha dinheiro! Ele começou a perceber que tudo o que pudesse conceber como verdadeiro poderia se tornar realidade.

O primeiro passo para seu objetivo foi seu despertar para os poderes de sua mente inconsciente, que eu elaborei brevemente para seu benefício. A segunda foi sua percepção de que se ele pudesse transmitir uma idéia à sua mente inconsciente, esta de alguma forma a realizaria.

Ele começou a imaginar que estava em sua loja. Ele organizou mentalmente as garrafas, distribuiu as receitas e imaginou vários funcionários na loja ajudando os clientes. Ele também visualizou seu saldo bancário. Mentalmente, ele trabalhou naquela loja imaginária. Como um bom ator, ele desempenhou o papel. Aja como se você fosse, e você será. Este farmacêutico colocou todo o seu coração em ação, vivendo, movendo-se e agindo no pressuposto de que ele era o proprietário da loja.

O acompanhamento foi interessante. Ele foi demitido de sua posição. Ele encontrou um novo emprego em uma grande cadeia de lojas, tornou-se gerente e mais tarde gerente distrital. Ele economizou dinheiro suficiente em quatro anos para pagar o adiantamento em uma farmácia própria. Ele a chamou de sua 'farmácia dos sonhos'.

"Era", disse ele, "exatamente a loja que eu via em minha imaginação". O homem foi bem sucedido em seu campo escolhido e estava feliz em fazer o que gostava de fazer.

Usando a mente inconsciente nos negócios

Há alguns anos, dei uma palestra a um grupo de empresários sobre o poder da imaginação e da mente inconsciente. Nesta palestra, eu enfatizei como Goethe usou sabiamente sua imaginação diante das dificuldades.

Seus biógrafos apontam que ele estava acostumado a passar muitas horas em tranqüilidade, mantendo conversas imaginárias. Ele costumava imaginar um de seus amigos na sua frente em uma cadeira dando-lhe a resposta certa. Em outras palavras, se ele estivesse preocupado com algum problema, ele imaginaria seus amigos dando-lhe a resposta certa ou apropriada, acompanhado dos gestos habituais e das qualidades tonais de suas vozes, tornando toda a cena imaginária tão real e vívida quanto possível.

Um dos homens presentes na minha palestra foi um jovem corretor de bolsa que experimentou a técnica de Goethe. Ele começou a ter conversas mentais e imaginárias com um banqueiro multi-milionário amigo dele que o parabenizou por seu julgamento sábio e sadio e o elogiou por comprar as ações certas. Ele repetiu esta conversa imaginária até fixá-la psicologicamente como uma forma de fé em sua mente.

A imaginação interior controlada do agente estava certamente de acordo com seu objetivo, que era o de fazer investimentos sólidos para seus clientes. Seu principal objetivo era fazer dinheiro para seus clientes e vê-los prosperar financeiramente através de seus sábios conselhos. Ele ainda está usando sua mente inconsciente em seus negócios, e alcançou um sucesso brilhante em seu campo.

Menino de dezesseis anos transforma fracasso em sucesso

Um jovem garoto do ensino médio me disse: 'Estou recebendo notas muito baixas'. Minha memória está falhando, eu não sei qual é o problema". Descobri que a única coisa errada com este menino era sua atitude, que era de indiferença e ressentimento para com alguns de seus professores e colegas de classe. Eu o ensinei como usar sua mente inconsciente e como ter sucesso em seus estudos.

Ele começou a afirmar certas verdades várias vezes ao dia, particularmente à noite antes de dormir, e também pela manhã depois de acordar. Estes são os melhores momentos para impressionar a mente inconsciente.

Ele afirmou o seguinte: "Eu percebo que minha mente inconsciente é um armazém de memória. Ele armazena tudo que eu leio e ouço de meus professores. Tenho uma memória perfeita e a Inteligência Infinita em minha mente inconsciente revela constantemente tudo o que preciso saber em todos os meus exames, tanto escritos como orais. Eu irradio amor e boa vontade para todos os meus professores e colegas estudantes. Desejo-lhes sinceramente sucesso e muitas coisas boas.

Este jovem ainda está recebendo notas máximas, ele imagina constantemente seus professores e sua mãe o parabenizando pelo sucesso em seus estudos.

Como ter sucesso na compra e venda

Ao comprar e vender, lembre-se que sua mente consciente é a centelha e sua mente inconsciente é o motor. Você precisa ligar o motor para permitir que ele faça seu trabalho. Sua mente consciente é o dínamo que desperta o poder de sua mente inconsciente.

O primeiro passo para transmitir seu desejo, idéia ou imagem à mente mais profunda é relaxar, congelar sua atenção, parar e ficar em silêncio. Esta atitude mental tranqüila, relaxada e tranqüila evita que matérias estranhas e idéias falsas interfiram com a absorção mental de seu ideal. Além disso, na atitude silenciosa, passiva e receptiva da mente, o esforço é minimizado.

O segundo passo é começar a imaginar a realidade do que você quer. Por exemplo, pode-se desejar comprar uma casa, e com um estado de espírito descontraído dizer o seguinte: "A Inteligência Infinita do meu inconsciente é muito sábia. Agora está me revelando a casa ideal que é central, localizada em um ambiente agradável, satisfaz todas as minhas necessidades e é proporcional à minha renda. Agora dou este pedido à minha mente inconsciente, e sei que ele responderá de acordo com a natureza do meu pedido. Eu expresso este pedido com absoluta confiança da mesma forma que um agricultor deposita uma semente no solo, confiando implicitamente nas leis do crescimento".

A resposta à sua oração pode vir através de um anúncio no jornal, através de um amigo, ou você pode ser atraído diretamente para uma determinada casa que é exatamente o que você estava procurando. Há muitas maneiras de responder suas orações, mas o fato mais importante, no qual você pode depositar sua confiança, é que a resposta sempre vem, desde que você confie no funcionamento de sua mente mais profunda.

Você pode desejar vender uma casa, um terreno ou qualquer tipo de propriedade. Em consulta privada com agentes imobiliários, eu lhes contei como vendi minha casa na Orlando Avenue em Los Angeles. Muitos deles aplicaram a técnica que usei com resultados notáveis e rápidos. Coloquei uma placa que dizia "Para Venda pelo Proprietário" no pátio da frente da minha casa. No dia seguinte, quando fui dormir, disse para mim mesmo: 'Se eu pudesse vender a casa, o que eu faria?

Respondi minha própria pergunta e disse a mim mesmo: "A primeira coisa que eu faria seria pegar a placa e colocá-la na garagem". Na minha imaginação, peguei a placa, peguei-a do chão, coloquei-a sobre o ombro, entrei na garagem, joguei-a no chão e, brincando, disse à placa: "Não preciso mais de você"! Eu senti a satisfação interior de tudo isso.

No dia seguinte, um homem me deu um depósito de $1.000 e disse: "Você pode tirar seu sinal agora"!

Imediatamente removi a placa e a levei para a garagem. A ação externa foi exatamente como a ação interna da minha imaginação. Não há nada de novo nisto. Como por dentro, assim por fora, ou seja, a imagem impressa em sua mente inconsciente será refletida na tela objetiva da vida. O exterior reflete o interior. A ação externa segue a ação interna.

Aqui está outro método muito popular utilizado na venda de casas, terrenos ou qualquer tipo de propriedade. Afirmar devagar, em silêncio e sentir como se segue: "A inteligência infinita atrairá o comprador que realmente quer esta casa". Este comprador pode olhar para muitas outras casas, mas a minha é a única que ele quer e vai comprar, porque ele é guiado pela Inteligência Infinita dentro dele. Agora o comprador está certo, a hora é certa e o preço é certo. Tudo está certo. As correntes mais profundas da minha mente inconsciente estão agora trabalhando para unir ambos em ordem divina. Eu sei que é assim".

Lembre-se sempre que o que você está procurando é também o que você está procurando, e sempre que você quiser vender uma casa ou propriedade de qualquer tipo, há sempre alguém que quer o que você tem a oferecer. Ao usar corretamente os poderes da mente inconsciente, você liberta sua mente de qualquer senso de competição e ansiedade sobre a compra e venda.

Como ela conseguiu obter o que queria

Há uma jovem mulher que vem regularmente às minhas aulas. Ela tem que trocar de ônibus três vezes; ela leva uma hora e meia cada vez para chegar à aula. Em uma lição eu expliquei como um jovem precisava de um carro em seu trabalho e o recebeu.

A menina foi para casa e experimentou, como descrito em minha palestra. Aqui está sua carta, em parte, me falando de sua aplicação do meu método, que publico com sua permissão:

Prezado Dr. Murphy,

Foi assim que consegui um Cadillac - eu queria um carro para poder ir às aulas regularmente. Na minha imaginação, segui o mesmo processo que teria seguido se tivesse realmente conduzido um carro. Fui para o showroom e o vendedor me levou para dar uma volta. Eu dirigi por vários quarteirões.

Eu reclamei o Cadillac como meu, uma e outra vez. Mantive a imagem mental de entrar no carro, dirigir, sentir o estofamento, etc. - por mais de duas semanas. Na semana passada, finalmente cheguei à aula em um Cadillac: meu tio de Inglewood faleceu e me deixou seu Cadillac e todos os seus bens.

Uma técnica de sucesso empregada por muitos empresários excelentes

Há muitas pessoas proeminentes que usam tranquilamente o termo abstrato "sucesso" uma e outra vez todos os dias até que estejam convencidas de que o têm. Eles sabem que a idéia de sucesso contém todos os elementos essenciais do sucesso. Da mesma forma, agora você também pode começar a repetir a palavra "sucesso" com fé e convicção. Sua mente inconsciente o aceitará como verdadeiro e você estará sujeito a uma força inconsciente para ter sucesso.

Você se sente obrigado a expressar suas convicções, impressões e crenças. O que o sucesso implica para você? Você quer, sem dúvida, ter sucesso em sua vida diária e em seu relacionamento com os outros. Você deseja se distinguir em seu trabalho ou profissão escolhida. Você deseja ter uma boa casa e todo o dinheiro que precisa para viver confortavelmente e alegremente. Você deseja ter sucesso em sua vida de oração e em seu contato com os poderes de sua mente inconsciente.

Os negócios lhe dizem respeito - quanto mais não seja simplesmente porque você está no ramo da vida. Torne-se um homem de negócios de sucesso imaginando-se fazendo o que deseja fazer e sendo dono das coisas que deseja possuir. Tornar-se original, participar mentalmente da realidade do estado de sucesso. Faça disso um hábito. Vá dormir sentindo-se bem sucedido todas as noites, e perfeitamente satisfeito, e eventualmente implante a idéia de sucesso em sua mente inconsciente. Convença-se de que você nasceu para ter sucesso e as maravilhas vão acontecer!

Para ter em mente

1.

Sucesso significa viver com sucesso. Quando você está em paz, feliz, alegre e fazendo o que gosta de fazer, você é bem sucedido.

2.

Descubra o que você gosta de fazer, depois faça. Se você não conhece sua verdadeira vocação, peça conselhos e orientação.

3.

Especialize-se em sua área específica e tente aprender mais do que qualquer outra pessoa.

4.

Um homem de sucesso não é egoísta. Seu principal desejo na vida é servir à humanidade.

5.

Não há sucesso real sem tranqüilidade.

6.

Um homem de sucesso possui uma grande compreensão psicológica e espiritual.

7.

Se você imaginar claramente um objetivo, você receberá os meios através do maravilhoso poder da mente inconsciente.

8.

Seu pensamento fundido com o sentimento torna-se uma crença subjetiva, e o que você acredita que vai acontecer.

9.

O poder da imaginação traz à tona o incrível poder de sua mente inconsciente.

10.

Se você está procurando uma promoção no trabalho, imagine seu empregador, supervisor ou amigo felicitando-o por sua promoção. Torne a imagem vívida e real. Ouça a voz, visualize os gestos e sinta a realidade de tudo isso. Continue fazendo isso com freqüência e através da ocupação frequente de sua mente, você experimentará a alegria da oração respondida.

11.

Sua mente inconsciente é um depósito de memória. Para uma memória perfeita, ele costuma dizer: "A Inteligência Infinita de minha mente inconsciente revela tudo o que preciso saber em todos os momentos, em todos os lugares.

12.

Se você deseja vender uma casa ou propriedade de qualquer tipo, afirme: "A inteligência infinita atrairá para mim o comprador perfeito, que a deseja ardentemente. Mantenha esta consciência e as correntes mais profundas de sua mente inconsciente se darão conta disso.

13.

A idéia de sucesso contém todos os elementos do sucesso. Repita a palavra "sucesso" para si mesmo, com fé e convicção, e você se sentirá tomado por uma força inconsciente para ter sucesso.

Capítulo XII - Os cientistas também usam a mente inconsciente

Muitos cientistas percebem a verdadeira importância da mente inconsciente. Edison, Marconi, Kettering, Poincare, Einstein e muitos outros usaram a mente inconsciente. Isso lhes deu a visão e o "know-how" para todas as suas grandes realizações na ciência e na indústria modernas. A pesquisa mostrou que a capacidade de colocar em ação o poder inconsciente determinou o sucesso de todos os grandes cientistas e pesquisadores.

Aqui está um exemplo de como um famoso químico, Fredrich von Stradonitz, usou sua mente inconsciente para resolver seu problema: o cientista havia trabalhado laboriosamente durante muito tempo tentando reorganizar os seis átomos de carbono e os seis átomos de hidrogênio na fórmula da gasolina, e estava constantemente perplexo e incapaz de resolver a questão. Cansado e exausto, ele entregou a questão completamente à sua mente inconsciente. Pouco depois, quando ele estava prestes a embarcar em um ônibus, sua mente inconsciente de repente passou uma imagem de uma cobra mordendo sua cauda e torcendo como uma roda de pino. Esta visão de sua mente inconsciente, deu-lhe a resposta há muito procurada do rearranjo circular de átomos, conhecido como o anel de gasolina.

Como um cientista ilustre realizou suas invenções Nikola Tesla foi um cientista brilhante que fez algumas das inovações mais surpreendentes de todos os tempos. Quando ele teve uma idéia para uma nova invenção, ele a construiria primeiro em sua imaginação, sabendo que sua mente inconsciente reconstruiria e revelaria à sua mente consciente todas as partes necessárias para sua fabricação na forma concreta. Contemplando calmamente todas as melhorias possíveis, ele foi capaz de dar aos engenheiros o produto perfeito de sua mente.

Ele disse: "Invariavelmente, meu dispositivo funciona como eu imaginava que funcionaria". Em 20 anos não houve uma única exceção".

Como um famoso naturalista resolveu seu problema

O professor Agassiz, um distinto naturalista americano, descobriu a atividade incansável de sua mente inconsciente enquanto dormia. O seguinte foi relatado por sua viúva em sua biografia de seu famoso marido.

"Ele havia passado duas semanas tentando decifrar a impressão bastante obscura de um peixe fóssil na laje de pedra em que foi preservado. Cansado e perplexo, ele finalmente colocou seu trabalho de lado e tentou tirá-lo de sua mente. Pouco depois, ele acordou uma noite convencido de que enquanto dormia havia visto seu peixe com todas as suas características em falta perfeitamente restauradas. Mas quando ele tentou reter a imagem, ela lhe escapou. Entretanto, ele logo foi ao Jardin des Plantes, pensando que quando voltasse a olhar o fóssil, veria algo que o colocaria no rastro de sua visão. Em vão - aquele disco embaçado era tão negro como sempre. Na noite seguinte, ele viu o peixe novamente, mas sem resultado mais satisfatório, e quando acordou, ele desapareceu de sua memória como antes. Esperando que a mesma experiência se repetisse, na terceira noite ele colocou caneta e papel ao lado de sua cama antes de ir dormir.

Pouco antes do amanhecer o peixe reapareceu em seu sonho, confuso no início, mas eventualmente com tal distinção que meu marido não teve mais dúvidas sobre seus caracteres zoológicos. Meio adormecido e na escuridão do breu, ele começou a desenhar sobre a folha de papel. De manhã ele ficou surpreso ao ver traços em seu esboço noturno que ele nunca poderia ter extraído do próprio fóssil. Ele correu para o Jardin des Plantes e, com seu desenho como guia, conseguiu escavar a superfície da pedra sob a qual partes do peixe estavam escondidas. Quando totalmente exposto, ele correspondia ao seu sonho e ao seu desenho, e ele foi capaz de classificá-lo com facilidade".

Um médico excepcional resolveu o problema da diabetes

Há alguns anos, recebi um recorte de uma revista descrevendo a origem da descoberta da insulina. Esta é a essência do artigo, como eu me lembro.

Há cerca de quarenta anos ou mais, o Dr Frederick Banting, um brilhante médico e cirurgião canadense, estava concentrando sua atenção no tremendo problema do diabetes. Naquela época, a ciência médica não oferecia um método eficaz para deter a doença. O Dr. Banting passou muito tempo experimentando e estudando a literatura internacional sobre o assunto. Uma noite ele estava exausto e adormeceu. Enquanto ele dormia, sua mente inconsciente o instruiu a extrair os restos do duto pancreático dos cães. Esta foi a origem da insulina que tem ajudado milhões de pessoas.

Você notará que o Dr. Banting tinha estado consciente do problema por algum tempo em busca de uma solução, de uma saída, e seu inconsciente respondeu de acordo.

Não se segue que você sempre terá uma resposta da noite para o dia. A resposta pode não chegar por um tempo. Não se desencoraje. Continue ponderando o problema todas as noites para sua mente inconsciente antes de dormir, como se você nunca o tivesse feito antes.

Uma razão para o atraso pode ser que se considere um grande problema, acreditando que levará muito tempo para resolvê-lo.

Sua mente inconsciente é atemporal e sem espaço. Durma acreditando que você tem a resposta, não acredite que você só pode obter a resposta no futuro. Ter fé constante no resultado. Convença-se agora, lendo este livro, de que há uma resposta e uma solução perfeita para você.

Como um cientista famoso escapou de um campo de concentração russo

O Dr Lothax von Blenk-Schmidt, membro da Rocket Society e um notável engenheiro de pesquisa eletrônica, faz o seguinte resumo de como ele usou sua mente inconsciente para escapar da morte certa nas mãos de guardas brutais em uma mina de carvão de um campo prisional russo. Ele reconta:

"Eu era um prisioneiro de guerra em uma mina de carvão na Rússia, e vi homens morrendo ao meu redor naquele complexo prisional. Éramos guardados por guardas brutais, oficiais arrogantes, verdadeiros torturadores. Após um breve exame médico, a cada pessoa foi atribuída uma cota de carvão. Minha cota era de trezentas libras por dia. Se um homem falhar em cumprir sua cota, sua pequena ração será reduzida - assim como o caminho para o cemitério.

Comecei a me concentrar na minha fuga. Eu sabia que minha mente inconsciente, de alguma forma, encontraria um caminho. Minha casa na Alemanha foi destruída, minha família dizimada, todos os meus amigos e ex-colaboradores foram mortos na guerra ou em campos de concentração.

Eu disse à minha mente inconsciente: "Eu quero ir para Los Angeles". Eu tinha visto fotos de Los Angeles e me lembrei muito bem de algumas das alamedas e edifícios.

"Todos os dias e noites eu imaginava caminhar pela Wilshire Boulevard com uma garota americana que conheci em Berlim antes da guerra (ela agora é minha esposa). Na minha imaginação fomos às compras, andamos de ônibus e comemos em restaurantes. Todas as noites eu imaginava dirigir meu carro imaginário americano subindo e descendo as avenidas de Los Angeles. Fiz tudo isso vívido e real. Estas imagens em minha mente eram tão reais quanto uma das árvores fora do campo de prisioneiros.

Todas as manhãs, o chefe da guarda contava os prisioneiros em fila. Ele os listou numericamente, contando-os "um, dois, três", etc., e quando 17 foi chamado, que era o meu número em seqüência, eu me afastei. Enquanto isso, o guarda foi chamado por um minuto ou mais, e quando ele voltou começou a contar erroneamente meu vizinho como o número dezessete. Quando o grupo voltou à noite, o número de homens era o mesmo, e ninguém notou minha ausência por muito tempo.

Deixei o acampamento sem ser detectado e continuei caminhando por vinte e quatro horas, descansando no dia seguinte em uma cidade deserta. Consegui ganhar a vida pescando e matando um pouco de caça. Encontrei trens de carvão indo para a Polônia e viajei à noite até finalmente chegar na Polônia. Com a ajuda de amigos, eu me dirigi para Lucerne, Suíça.

Uma noite, no Palace Hotel, Lucerna, tive uma conversa com um homem e sua esposa dos Estados Unidos da América. Este homem me perguntou se eu gostaria de ser um convidado em sua casa em Santa Monica, Califórnia. Eu concordei, e quando cheguei em Los Angeles, seu motorista dirigiu pela Wilshire Boulevard e muitos outros bulevares que eu havia imaginado tão vividamente nos longos meses nas minas de carvão russas. Eu reconheci os edifícios que eu havia visto com tanta freqüência em minha mente. Parecia que eu já tinha ido a Los Angeles. Eu tinha atingido meu objetivo.

Nunca deixarei de me espantar com as maravilhas da mente inconsciente. "Na realidade, ele opera de maneiras fantásticas que não conhecemos".

Como arqueólogos e paleontólogos reconstróem cenas antigas Estes cientistas sabem que sua mente inconsciente tem uma memória de tudo o que já aconteceu. Ao estudar ruínas e fósseis antigos, através de sua percepção imaginativa, a mente inconsciente ajuda-os a reconstruir cenas antigas. O passado se torna vivo e audível mais uma vez. Olhando para estes templos antigos e estudando a cerâmica, estátuas, ferramentas e utensílios domésticos destes tempos antigos, o cientista nos fala de uma época em que não havia linguagem. A comunicação era feita por grunhidos, gemidos e sinais.

A concentração aguda e a imaginação disciplinada do cientista desperta os poderes latentes de sua mente inconsciente, permitindo-lhe revestir os antigos templos com telhados, e rodeá-los de jardins, piscinas e fontes. Os restos fossilizados são vestidos com olhos, nervos e músculos e, mais uma vez, andam e falam. O passado se torna o presente vivo e descobrimos que não há tempo ou espaço em mente. Através de uma imaginação disciplinada, controlada e dirigida, você pode ser o companheiro dos pensadores mais científicos e inspirados de todos os tempos.

Como ser guiado pelo inconsciente

Quando você tiver o que chamaria de "uma decisão difícil" a tomar, ou quando você simplesmente não puder ver a solução para seu problema, comece a pensar sobre isso de forma construtiva imediatamente. Se você está assustado e preocupado, você não está realmente pensando. O pensamento real está livre do medo.

Aqui está uma técnica simples que você pode utilizar para receber orientação sobre qualquer assunto: faça sua mente e seu corpo ficarem quietos. Diga ao corpo para relaxar, ele deve obedecê-lo. Não tem iniciativa ou inteligência autoconsciente. Seu corpo é um registro emocional de suas crenças e impressões. Mobilize sua atenção; concentre seu pensamento na solução do problema. Tente resolvê-lo com sua mente consciente. Pense como você ficaria feliz com a solução perfeita. Experimente a sensação que você teria se encontrasse a resposta perfeita. Deixe sua mente permanecer neste estado de espírito de forma descontraída; depois vá dormir. Quando você acordar, se não tiver a resposta, ocupe-se com outra coisa. Provavelmente, enquanto você se ocupa com outra coisa, a resposta virá como um parafuso do nada.

Ao receber orientação da mente inconsciente, a maneira mais simples é a melhor. Este é um bom exemplo: uma vez eu perdi um anel valioso que era uma herança de família. Procurei por ele em todos os lugares, mas em vão. À noite eu falava com o inconsciente da mesma forma que falaria com qualquer pessoa. Eu disse antes de adormecer:

'você sabe tudo, você sabe onde está esse anel, e agora você me revelará onde ele está'.

De manhã, acordei de repente com estas palavras soando no meu ouvido: "Pergunte a Robert!

Foi muito estranho perguntar a Robert, um garoto de nove anos, mas eu segui a voz interior da intuição.

Robert disse: 'Oh sim, eu peguei no jardim enquanto brincava com os amigos'. Coloquei-o na escrivaninha do meu quarto. Eu não achei que fosse valioso, então não disse nada".

A mente inconsciente sempre lhe responderá se você confiar nela.

Seu inconsciente revelou a localização da vontade de seu pai

Um jovem que assiste às minhas aulas teve esta experiência. Seu pai morreu e aparentemente não deixou nenhum testamento. No entanto, a irmã do homem lhe disse que seu pai lhe havia confiado que um testamento havia sido executado. Toda tentativa de localizar a vontade, no entanto, havia falhado.

Antes de ir dormir naquela noite, o menino falou à sua mente mais íntima: "Agora passo este pedido à mente inconsciente. Ele sabe onde está a vontade e vai revelá-la para mim". Em seguida, ele condensou seu pedido em uma palavra, "Responder", repetindo-o uma e outra vez como uma canção de ninar. Ele adormeceu embalado pela palavra, "Responder".

Na manhã seguinte, o jovem sentiu a necessidade de ir a um certo banco em Los Angeles onde encontrou um cofre registrado em nome de seu pai, cujo conteúdo resolvia todos os seus problemas.

Seus pensamentos, enquanto você dorme, despertam a poderosa latência dentro de você. Por exemplo, suponha que você esteja se perguntando se vai vender sua casa, comprar algumas ações, dividir a parceria, mudar-se para Nova Iorque ou ficar em Los Angeles, dissolver o contrato atual e fazer um novo contrato. Faça isto: sente-se tranquilamente em uma poltrona ou em sua mesa de escritório. Lembre-se de que existe uma lei universal de ação e reação. Ação é o seu pensamento. A reação é a resposta de sua mente inconsciente. A mente inconsciente é reativa e reflexiva; essa é a sua natureza. Ele se recupera, recompensa e reembolsa. É a lei da correspondência. Ela responde com correspondência. Quando você contempla a ação correta, você automaticamente experimenta uma reação ou resposta em si mesmo que representa a orientação ou resposta da mente inconsciente.

Ao buscar orientação, você pensa na ação correta, o que significa que você está usando a Inteligência Infinita residente na sub-mente até o ponto em que ela começa a usá-la. A partir daí, seu curso de ação é dirigido e controlado pela sabedoria subjetiva que é onipotente. Sua decisão será acertada. Haverá apenas uma ação correta porque você é subjetivamente obrigado a fazer a coisa certa. Eu uso a palavra compulsão porque a lei do inconsciente é compulsão.

O segredo da condução

O segredo para ser guiado à ação correta é dedicar-se mentalmente à resposta correta, até encontrar a resposta dentro de você. A resposta é um sentimento, uma consciência interior, uma intuição pela qual se sabe que se sabe. Você usou a energia até o ponto em que ela começa a utilizá-la. Você não pode falhar ao operar com a sabedoria subjetiva dentro de você. Você descobrirá que todos os seus caminhos serão agradáveis de percorrer e todas as suas ações serão de paz.

Destaques a serem lembrados

1.
Lembre-se de que a mente inconsciente determinou o sucesso e as maravilhosas conquistas de todos os grandes cientistas.

2.
Ao voltar sua atenção consciente e dedicação para resolver um problema, sua mente inconsciente reúne todas as informações necessárias e as apresenta à mente consciente.

3.

Se você procura a resposta para um problema, tente resolvê-lo objetivamente. Obtenha todas as informações que você puder de sua pesquisa. Se não houver resposta, vire-se para sua mente inconsciente antes de dormir, e a resposta sempre vem. Nunca é errado.

4.

Você nem sempre tem a resposta da noite para o dia. Continue dirigindo seu pedido ao seu inconsciente até obter uma resposta.

5.

Você atrasa a chegada da resposta pensando que vai demorar muito tempo ou que é um problema importante. Seu inconsciente não tem problema, ele só sabe a resposta.

6.

Acredite que você tem a resposta agora. Sinta a alegria da resposta do jeito que você se sentiria se tivesse a resposta perfeita. Seu inconsciente responderá a seus sentimentos.

7.

Qualquer imagem mental, apoiada pela fé e perseverança, passará pelo poder miraculoso de seu inconsciente. A confiança em seu poder e maravilhas acontecerá como resultado de suas orações.

8.

Seu inconsciente é o depósito da memória e em seu inconsciente são registradas suas experiências de infância.

9.

Os cientistas que meditam em cartuchos antigos, templos, fósseis, etc., são capazes de reconstruir cenas do passado e trazê-las à vida hoje. Sua mente inconsciente vem em seu auxílio.

10.

Dirija seu pedido de uma solução para sua mente inconsciente antes de dormir. Tenha fé e a resposta virá. Ela sabe tudo e vê tudo, mas não se deve duvidar ou questionar seus poderes.

11.

Ação é seu pensamento, e reação é a resposta de sua mente

inconsciente. Se seus pensamentos forem sábios, suas ações e decisões serão sábias.

12.

A orientação é um sentimento, uma consciência interior, uma intuição avassaladora pela qual se sabe que se sabe. É um sentido interior. Siga-o.

Capítulo XIII - O Inconsciente e o Poder do Sono

Você passa cerca de oito horas em vinte e quatro, ou um terço de sua vida, dormindo. Esta é uma lei inexorável da vida. Isto também se aplica aos reinos animal e vegetal. O sono é uma lei divina e muitas respostas aos nossos problemas chegam até nós quando estamos dormindo.

Muitas pessoas mantiveram a teoria de que a pessoa fica cansada durante o dia, e vai dormir para descansar o corpo, que um processo de restauração ocorre enquanto dorme. Nada descansa no sono. Seu coração, seus pulmões e todos os seus órgãos vitais trabalham enquanto você dorme. Se você come antes de dormir, sua comida é digerida e assimilada; além disso, sua pele segrega a transpiração e suas unhas e cabelos continuam a crescer.

Sua mente inconsciente nunca descansa ou dorme. Ele está sempre ativo, controlando todas as suas forças vitais. O processo de cura acontece mais rapidamente enquanto se dorme, pois não há interferência da mente consciente. Respostas notáveis são dadas enquanto você está dormindo.

Porque Dormimos

O Dr. John Bigelow, uma famosa autoridade em pesquisa sobre o sono (Dr. John Bigelow, The Mystery of Sleep, Nova Iorque e Londres: Harper Brothers, 1903), mostrou que, enquanto se dorme à noite, recebe-se impressões que provam que os nervos dos olhos, ouvidos, nariz e papilas gustativas são ativos durante o sono e que os nervos do cérebro são bastante ativos. Ele afirma que a principal razão pela qual dormimos é porque "a parte mais nobre da alma está unida pela abstração à nossa natureza superior e se torna participante da sabedoria dos deuses".

O Dr. Bigelow também afirma: "Os resultados de meus estudos não só fortaleceram minhas convicções de que a suposta isenção das atividades habituais não é o propósito último do sono, mas também deixaram mais clara para mim a convicção de que nenhuma parte da vida merece ser considerada mais indispensável para seu desenvolvimento espiritual simétrico do que o mundo fenomenal do sono".

Oração, uma forma de sono

Sua mente consciente se envolve com os assédios, conflitos e contendas do dia e é necessário se retirar periodicamente do mundo sensorial e objetivo, e se comunicar silenciosamente com a sabedoria interior de sua mente inconsciente. A afirmação de orientação, força e maior inteligência em todas as etapas da vida lhe permitirá superar todas as dificuldades e resolver os problemas do dia-a-dia.

Esta retirada regular do mundo dos sentidos e do barulho e confusão da vida cotidiana é também uma forma de sono, ou seja, você adormece no mundo dos sentidos e vive da sabedoria e do poder de sua mente inconsciente.

Efeitos terríveis da privação do sono

A falta de sono pode torná-lo irritável, irritável e até mesmo deprimido. O Dr. George Stevenson da Associação Nacional de Saúde Mental diz: "Eu acho que é seguro dizer que todos os seres humanos precisam de pelo menos seis horas de sono para serem saudáveis. A maioria das pessoas precisa ainda mais. Aqueles que pensam que podem ser funcionais com menos horas estão mentindo para si mesmos".

Pesquisadores que investigam os processos do sono e a privação do sono apontam que em alguns casos a insônia severa precedeu o colapso psicótico. Lembre-se, você se recarrega espiritualmente durante o sono, e um sono adequado é essencial para produzir alegria e vitalidade na vida.

Você precisa dormir mais

Robert O'Brien, em um artigo, "Talvez você precise dormir mais", em uma edição do Reader's Digest, relata os seguintes experimentos com o sono:

"As experiências têm sido realizadas nos últimos três anos no Instituto de Pesquisa do Exército Walter Reed, em Washington DC. Os sujeitos - mais de cem voluntários militares e civis - foram mantidos acordados por quatro dias. Milhares de testes mediram os efeitos em seu comportamento e personalidade. Os resultados destes testes deram aos cientistas novas perspectivas surpreendentes sobre os mistérios do sono.

Eles agora sabem que o cérebro cansado aparentemente anseia tanto pelo sono que sacrificará qualquer coisa para obtê-lo. Após apenas algumas horas de perda de sono, ocorreram cochilos curtos e roubados chamados micro-sleep, a uma taxa de três ou quatro por hora. Como no sono real, as pálpebras se fecharam e o batimento do coração diminuiu. Cada ciclo durou apenas uma fração de segundo. Algumas vezes estes eram períodos de escuridão, outras vezes estavam cheios de imagens, de sonhos. Como as horas de vigília acumuladas, os ciclos ocorreram com mais freqüência e duraram mais tempo, talvez dois ou três segundos. Mesmo que os sujeitos tivessem voado de avião em uma trovoada, eles ainda não poderiam ter resistido ao micro-sleep por aqueles poucos segundos. E o mesmo pode acontecer com você, como muitos que adormeceram ao volante de um carro podem testemunhar.

Outro efeito surpreendente da privação do sono é seu ataque à memória e percepção humana. Muitos sujeitos privados de sono não foram capazes de reter informações por tempo suficiente para relacioná-las à tarefa em questão. Eles estavam totalmente confusos em situações que exigiam que tivessem vários fatores em mente e agissem sobre eles, como um piloto deve fazer quando ele

integra inteligentemente a direção do vento, a velocidade do ar, a altitude e o caminho de planeio para fazer um pouso seguro.

Dormir traz conselhos

Uma garota de Los Angeles que escuta minhas conversas pela manhã na rádio me disse que lhe foi oferecido um ótimo cargo em Nova York, com o dobro do seu salário atual. Ela se perguntava se deveria aceitar ou não e rezava antes de dormir, como a seguir: "A inteligência criativa de minha mente inconsciente sabe o que é melhor para mim. Sua tendência é sempre para a vida e me revela a decisão certa que me abençoa e a todos os envolvidos. Agradeço pela resposta que sei que vou receber".

Ela repetiu esta simples oração uma e outra vez como uma canção de ninar antes de dormir, e pela manhã ela teve a persistente sensação de que não deveria aceitar a oferta. Ela recusou a oferta e os eventos subsequentes confirmaram que seu senso interior estava certo, pois a empresa faliu alguns meses após a oferta deles para trabalhar para ela.

A mente consciente pode estar certa sobre fatos objetivamente conhecidos, mas a faculdade intuitiva da mente inconsciente vê muito além disso.

Salvo de um certo desastre

É assim que a sabedoria da mente inconsciente pode instruí-lo e protegê-lo em relação à chamada certa para a ação feita antes de dormir.

Há muitos anos, antes da Segunda Guerra Mundial, foi-me oferecido um emprego muito bem pago no Oriente e, para tomar uma decisão correta, rezei assim: "A Inteligência Infinita em mim sabe tudo, e a decisão correta me é revelada na ordem divina. Reconhecerei a resposta quando ela chegar".

Eu repeti esta simples oração várias vezes como uma canção de ninar antes de dormir e em um sonho veio uma realização vívida do que aconteceria três anos depois. No sonho apareceu-me um velho amigo que, acenando um jornal, disse: "Leia aqui - não vá". A manchete do jornal que ele estava segurando era sobre a guerra e o ataque a Pearl Harbor.

Às vezes eu tinha sonhos muito literais. O sonho mencionado acima foi sem dúvida uma dramatização da mente inconsciente projetando uma pessoa em quem eu confiava e respeitava. Para algumas pessoas este tipo de aviso pode ocorrer através da aparição em um sonho de sua mãe, que dá instruções como não ir a um determinado lugar. Sua mente inconsciente é sábia, ela conhece todos os detalhes. Muitas vezes ele falará com você em uma voz que sua mente consciente aceitará imediatamente como verdadeira. Outras vezes pode acontecer que sua mente inconsciente o avise com uma voz parecida com a de sua mãe ou de um ente querido e o faça parar de repente na rua, notando que se você desse outro passo, algo o atingiria, por exemplo, ou que você cairia.

Minha mente inconsciente é uma mente com o inconsciente universal e sabia que os japoneses estavam planejando uma guerra, e também sabia quando a guerra iria começar.

O Dr. Rhine, chefe do Departamento de Psicologia da Duke University, reuniu uma grande quantidade de evidências mostrando que muitas pessoas ao redor do mundo vêem eventos antes que eles aconteçam e, em muitos casos, são capazes de evitar o trágico evento que lhes foi vividamente mostrado em um sonho.

O sonho que eu tive me mostrou claramente a manchete do New York Times, uns três anos antes da tragédia de Pearl Harbor. Como conseqüência deste sonho, cancelei imediatamente a viagem porque senti uma força inconsciente me incitando a fazer isso. Três anos mais tarde, a Segunda Guerra Mundial provou a verdade da voz interior da minha intuição.

Seu futuro está em sua mente inconsciente

Lembre-se de que o futuro, o resultado de seu pensamento habitual, já está em sua mente, exceto quando você o muda através da oração.

153

O futuro de um país, da mesma forma, está no inconsciente coletivo do povo daquela nação. Não há nada de estranho no sonho que tive, no qual vi a manchete antes do início da guerra. A guerra já havia ocorrido na mente, e todos os planos de ataque já estavam gravados naquele grande instrumento de gravação, a mente inconsciente ou inconsciente coletivo da mente universal. Os eventos de amanhã já estão em sua mente inconsciente, assim como os da próxima semana e do próximo mês, e podem ser vistos por uma pessoa altamente psíquica ou clarividente.

Nenhum desastre ou tragédia pode acontecer com você se você decidir rezar. Sua atitude mental, ou seja, a maneira como você pensa, sente e acredita determina seu destino. É possível, através de uma oração científica, que descrevi em um capítulo anterior, mudar e recriar seu futuro. Colhe-se o que se semeia.

Uma soneca no valor de $15 000

Há três ou quatro anos, um de meus alunos me enviou um recorte de jornal com um artigo sobre um homem chamado Ray Hammerstrom, um trabalhador da aciaria de Pittsburgh operada pela Jones and Laughlin Steel Corporation. Este homem recebeu 15.000 dólares através de um sonho.

De acordo com o artigo, os engenheiros da empresa não conseguiram consertar um interruptor defeituoso em um moinho de barras recém-instalado, que controlava a entrega de barras nos recipientes de resfriamento. Os engenheiros trabalharam nesta chave uma dúzia de vezes sem sucesso.

Hammerstrom pensou muito no problema e tentou encontrar um novo projeto que pudesse resolvê-lo, mas nada parecia funcionar. Um dia, pouco antes de sua sesta da tarde, ele se viu pensando no problema da troca, pouco antes de adormecer. Uma vez nos braços de Morfeu, ele teve um sonho que lhe mostrou o design perfeito para o interruptor. Ao acordar, ele projetou imediatamente seu novo projeto de acordo com as instruções do sonho.

Esta soneca visionária rendeu à Hammerstrom um cheque de $15.000, a maior quantia que a empresa já concedeu a um funcionário por uma nova idéia.

Um famoso professor resolveu seu problema durante o sono

O Dr. H V Helprecht, professor de Assíria na Universidade da Pensilvânia, escreveu o seguinte: "Um sábado à noite eu havia me esgotado em uma vã tentativa de decifrar dois pequenos fragmentos de ágata que eu acreditava pertencer aos anéis dos aristocratas babilônicos.

Por volta da meia-noite, cansado e exausto, fui para a cama e tive este sonho extraordinário: um sacerdote alto e magro de Nippur, cerca de quarenta anos de idade, me levou à câmara do tesouro do templo: um quarto pequeno, baixo, sem janelas, com fragmentos de ágata e lápis lazúli espalhados no chão. Aqui ele se voltou para: Os dois fragmentos, que você publicou separadamente nas páginas 22 e 26, pertencem um ao outro e não são anéis. Os dois primeiros anéis foram usados como brincos para a estátua de um deus; os dois fragmentos que você encontrou são as partes desses anéis. Se vocês as juntarem, terão a confirmação de minhas palavras".

Acordei com um começo e examinei imediatamente os fragmentos, observando, para meu espanto, que correspondiam ao sonho. O problema foi finalmente resolvido".

Este evento demonstra claramente a manifestação criativa de sua mente inconsciente que conhecia a resposta para todos os seus problemas.

O sonho traz conselhos literários

Robert Louis Stevenson, em um de seus livros, Across the Plains, dedica um capítulo inteiro aos sonhos. Ele era um sonhador vívido e tinha o hábito de dar instruções específicas ao seu inconsciente todas as noites antes de ir para a cama, pedindo que seu inconsciente desenvolvesse histórias para ele enquanto dormia. Por exemplo, se os fundos de Stevenson estivessem no vermelho, q o comando para seu inconsciente seria algo assim: "Dê-me um romance bom e excitante que seja comercial e lucrativo". Seu inconsciente respondeu de forma magnífica.

Stevenson declarou: "Estes pequenos brownies (as inteligências e poderes de seu inconsciente) podem me contar uma história capítulo por capítulo, e eu, que supostamente sou o criador, permaneço completamente no escuro o tempo todo". Ele também acrescentou: "A parte do meu trabalho que faço quando estou acordado (ou seja, quando ele está consciente) não é necessariamente minha, uma vez que tudo isso mostra que os brownies têm influência mesmo assim".

Dormir em paz e acordar com alegria

Aqueles que sofrem de insônia encontrarão a seguinte oração muito eficaz. Repita devagar e amorosamente antes de dormir: "Os dedos dos pés estão relaxados, os tornozelos estão relaxados, os músculos abdominais estão relaxados, o coração e os pulmões estão relaxados, as mãos e os braços estão relaxados, o pescoço está relaxado, o cérebro está relaxado, o rosto está relaxado, os olhos estão relaxados, toda a mente e o corpo estão relaxados. Perdoo a todos e desejo sinceramente harmonia, saúde, paz e todas as bênçãos da vida a cada pessoa. Estou em paz, estou equilibrado, sereno e calmo. Descansei em segurança e paz. Sinto uma calma extrema em todo o meu ser ao perceber a presença divina dentro de mim. Eu sei que a realização da vida e do amor me cura. Eu me envolvo no manto do amor e adormeço cheio de boa vontade para todos. Durante toda a noite a paz permanece comigo e pela manhã estarei cheio de vida e amor. Um círculo de amor é desenhado ao meu redor. Não temo nenhum mal, pois Tu estás comigo, durmo em paz, acordo em alegria e nEle vivo, me movo e tenho meu ser".

Resumo dos auxílios ao sono

1.

Se você tiver medo de não acordar a tempo, sugira à sua mente inconsciente antes de dormir a hora exata em que deseja acordar, e ela o acordará. Não é necessário um relógio. Você pode fazer a mesma coisa com todos os problemas. Nada é muito difícil para sua mente inconsciente.

2.

Seu inconsciente nunca dorme. Está sempre em ação. Ele controla todas as suas funções vitais. Perdoe-se a si mesmo e a todos antes de dormir e a cura acontecerá muito mais rapidamente.

3.

Recebemos orientação enquanto dormimos, às vezes em sonhos. As correntes de cura são liberadas e pela manhã nos sentimos frescos e rejuvenescidos.

4.

Quando você for atormentado pelo trabalho diário, acalme sua mente e pense na sabedoria e inteligência que reside na mente inconsciente, que está pronta para responder a você. Isto lhe dará paz, força e confiança.

5.

Dormir é essencial para a paz de espírito e a saúde do corpo. A falta de sono pode causar irritação, depressão e distúrbios mentais. Você precisa de oito horas de sono.

6.

Os pesquisadores apontam que a insônia precede os distúrbios psicóticos.

7.

Você é recarregado espiritualmente durante o sono. O sono adequado é essencial para a alegria e a vitalidade na vida.

8.

Seu cérebro cansado deseja tanto dormir que sacrificará tudo para consegui-lo. Aqueles que adormeceram ao volante de um carro são testemunho disso.

9.

Muitas pessoas com privação de sono têm memória fraca e coordenação inadequada. Eles se sentem confusos e desorientados.

10.

Dormir traz conselhos. Antes de dormir, pense que a Inteligência Infinita de sua mente inconsciente o está guiando. Então, siga os conselhos que virão, provavelmente ao acordar.

11.

Confie completamente em seu inconsciente. Saiba que sua tendência está sempre viva. Ocasionalmente, seu inconsciente responderá a você em um sonho muito vívido e uma visão na noite. Você pode ser avisado em um sonho, pois o autor deste livro foi avisado.

12.

Seu futuro está em sua mente agora, com base em seu pensamento e crenças habituais. Afirme que a Infinite Intelligence está guiando e conduzindo você; e que tudo de bom é seu, e seu futuro será maravilhoso. Acredite e aceite. Espere o melhor e invariavelmente o melhor virá até você.

13.

Se você está escrevendo um romance ou trabalhando em uma invenção, fale à mente inconsciente à noite e declare corajosamente que sua sabedoria, inteligência e poder o estão guiando, dirigindo-o e revelando a história perfeita ou idéia decisiva. As maravilhas acontecerão se você rezar desta maneira.

Capítulo XIV - Os Inconscientes e os Problemas Conjugais

A ignorância das funções e dos poderes da mente é a causa de problemas conjugais. O atrito entre marido e mulher pode ser resolvido usando corretamente a lei da mente. Ao rezarmos juntos, ficamos juntos. A contemplação dos ideais divinos, o estudo das leis da vida, o acordo mútuo sobre um propósito e um plano comum, e o gozo da liberdade pessoal, trazem aquele casamento harmonioso, aquela felicidade conjugal, aquele senso de unidade onde os dois se tornam um só.

O melhor momento para evitar o divórcio é antes do casamento. Não é errado tentar sair de uma situação muito ruim. Mas, por que se encontrar em uma situação ruim em primeiro lugar? Não seria melhor prestar atenção à verdadeira causa dos problemas conjugais, ou seja, chegar realmente à raiz da questão?

Como em todos os outros problemas de homens e mulheres, os de divórcio, separação, anulação ou processos judiciais estão diretamente relacionados ao desconhecimento do trabalho e às inter-relações entre a mente consciente e inconsciente.

O significado do casamento

Para que o casamento seja real, primeiro é preciso ter uma base espiritual. Ele deve ser baseado no coração e o coração é a taça do amor. Honestidade, sinceridade, gentileza e integridade também são formas de amor. Cada parceiro deve ser perfeitamente honesto e sincero com o outro. Não é um verdadeiro casamento quando se casa por dinheiro, posição social ou para elevar o ego, porque isso indica falta de segurança, honestidade e amor verdadeiro. Tal casamento é uma farsa.

Quando uma mulher diz: 'Estou cansada de trabalhar; quero me casar porque quero segurança', sua premissa é falsa. Ela não está usando as leis da mente corretamente. Sua segurança depende de seu conhecimento da interação entre a mente consciente e inconsciente e sua aplicação.

Por exemplo, uma mulher nunca faltará riqueza ou saúde se ela aplicar as técnicas descritas nos respectivos capítulos deste livro. Sua riqueza pode chegar até ela independentemente de seu marido, pai ou qualquer outra pessoa. Uma mulher não depende do marido para a saúde, paz, alegria, inspiração, orientação, amor, riqueza, segurança, felicidade ou qualquer outra coisa no mundo. Sua segurança e paz de espírito vêm do conhecimento dos poderes interiores dentro dela e do uso constante das leis de sua mente de uma forma construtiva.

Como atrair o marido ideal

Agora você sabe como sua mente inconsciente funciona. Você sabe que o que quer que você imprima nele será realizado em seu mundo. Comece hoje para impressionar sua mente inconsciente com as qualidades e características que você deseja em um parceiro.

A seguinte é uma excelente técnica: à noite, sente-se confortavelmente, feche os olhos, solte, relaxe seu corpo e tente se sentir receptivo. Fale com sua mente inconsciente e diga: 'Estou agora atraindo para minha experiência um homem que é sincero, leal, fiel, pacífico, feliz e próspero'. Estas qualidades que eu admiro estão afundando em minha mente inconsciente. Quando me detenho nestas características, elas se tornam parte de mim e são encarnadas inconscientemente.

Sei que existe uma lei irresistível de atração e que atraio um parceiro para mim com base em minha crença inconsciente. Atraio o que sinto para ser verdade em minha mente inconsciente.

Eu sei que posso contribuir para sua paz e felicidade. Ele ama meus ideais, e eu amo seus ideais. Ele não quer me mudar, nem eu quero mudá-lo. Há amor, liberdade e respeito mútuo".

Pratique este processo de impressão no seu inconsciente. Então, você experimentará a alegria de atrair para você um homem que possui as qualidades e características sobre as quais você tinha vivido mentalmente. Sua inteligência inconsciente abrirá um caminho, onde ambos se encontrarão, de acordo com o irresistível e imutável fluxo da mente inconsciente. Tenha um desejo vivo de dar o melhor de si, de amor, devoção e cooperação. Seja receptivo a este presente de amor que você deu à mente inconsciente.

Como atrair a esposa ideal

Ele afirma o seguinte: "Agora eu atraio a mulher certa, que está em total concordância comigo. Esta é uma união espiritual porque é amor divino trabalhando através da personalidade de alguém com quem estou perfeitamente sintonizado. Eu sei que posso dar a esta mulher amor, luz, paz e alegria. Eu sinto e acredito que posso tornar a vida desta mulher plena, completa e maravilhosa.

Decido agora que ela possui as seguintes qualidades e atributos: ela é espiritual, leal, fiel e verdadeira. Ela é harmoniosa e feliz. Somos irresistivelmente atraídos um pelo outro. Somente aquilo que pertence ao amor, à verdade e à beleza pode entrar na minha experiência. Agora aceito meu companheiro ideal".

Ao pensar com serenidade e interesse nas qualidades e atributos que você admira no companheiro que você procura, você construirá o equivalente mental em seus pensamentos. Então, as correntes mais profundas da mente inconsciente reunirão ambas na ordem divina.

Não há necessidade de um terceiro erro

Um professor me disse recentemente: "Tive três maridos e todos os três eram passivos, submissos e dependentes de mim, eu tomei todas as decisões sobre tudo. Por que eu atraio tais homens"?

Perguntei-lhe se ela sabia que seu segundo marido era do tipo efeminado antes de se casar com ele, ao que ela respondeu: "Claro que não". Se eu soubesse, eu não teria me casado com ele".

Aparentemente, ela não tinha aprendido nada com seu primeiro erro. O problema era a personalidade dela. Ela era muito forte - e inconscientemente queria alguém que fosse submisso e passivo para que ela pudesse desempenhar o papel dominante. Tudo isso era uma motivação inconsciente, e sua estrutura inconsciente atraía para ela o que ela subjetivamente queria. Ela teve que aprender a quebrar o padrão adotando o processo de oração correto.

Mudando um padrão negativo

A mulher aprendeu assim uma verdade simples. Quando você acredita que pode ter o tipo de parceiro que você idealiza, é isso que você receberá. Eis a oração específica que a mulher costumava fazer para quebrar o velho padrão inconsciente e atrair o parceiro ideal para ela: "Estou construindo em minha mente o tipo de homem que eu desejo profundamente. O homem que eu atraio para um marido é forte, amoroso, muito masculino, bem sucedido, honesto, leal e fiel. Ele encontrará amor e felicidade em mim, e eu posso confiar nele.

Eu sei que ele me quer, e eu o quero. Eu sou honesto, sincero, amoroso e bondoso. Tenho dons maravilhosos para lhe oferecer. Possuo boa vontade, um coração alegre e um corpo saudável. E ele me oferece o mesmo. É mútuo, dando e recebendo. A inteligência infinita sabe onde este homem está, e a sabedoria mais profunda de minha mente inconsciente está agora nos aproximando em seu caminho e nos reconhecemos um ao outro imediatamente. Deixo este pedido para minha mente inconsciente que sabe como fazê-lo acontecer. Agradeço-lhe pela resposta perfeita".

Ele rezava assim noite e dia, afirmando estas verdades e sabendo que através da ocupação freqüente da mente ele alcançaria o equivalente mental do que ele buscava.

A resposta a sua oração

Vários meses se passaram. Ela tinha saído em muitos encontros, mas não tinha gostado de nenhum deles. Quando ela estava prestes a desistir, duvidar ou vacilar, ela se lembrou que a Inteligência Infinita estava respondendo à sua própria maneira e que não havia nada com que se preocupar. Ela recebeu o decreto final em seu processo de divórcio, o que lhe trouxe uma sensação adicional de libertação e liberdade mental.

Pouco tempo depois, ela começou a trabalhar como recepcionista em um consultório médico. Ela me disse que assim que viu o médico, ela sabia que ele era o homem pelo qual ela estava orando. Aparentemente ele também sabia disso, porque eles ficaram noivos em uma semana e seu casamento foi feliz. Este médico não era um tipo passivo ou submisso, mas era uma pessoa forte, um ex-futebolista, um atleta excepcional e era também um homem profundamente espiritual, mesmo não pertencendo formalmente a nenhum culto.

A mulher alcançou o que ela rezou, porque ela o afirmou mentalmente até chegar ao ponto de saturação. Em outras palavras, ela se fundiu mental e emocionalmente com sua idéia, que se tornou parte dela assim como os açúcares nos alimentos se tornaram parte de nosso corpo.

Devo me divorciar?

O divórcio é um problema individual. Não pode ser generalizado. Em alguns casos, é claro, nunca deveria ter havido um casamento. Em alguns casos, o divórcio não é a solução, assim como o casamento não é a solução para aqueles que estão sozinhos. O divórcio pode ser certo para uma pessoa e errado para outra. Uma mulher divorciada pode viver muito mais verdadeira e honestamente do que suas irmãs casadas que podem estar vivendo uma mentira.

Por exemplo, uma vez falei com uma mulher que era casada com um traficante violento, uma ex-reclusa, que a espancou e não contribuiu para a vida de casada. Ela ficou com ele porque havia sido incutido nela que era errado divorciar-se. Expliquei-lhe que o casamento é do coração: se dois corações se fundirem harmoniosamente, com amor e sinceridade, você terá um casamento ideal. A ação pura do coração é

163

o amor.

Seguindo esta explicação, ela decidiu o que fazer. Ela sabia em seu coração que não há nenhuma lei divina que a obrigue a ser dominada, intimidada e espancada, só porque alguém disse: "Eu vos declaro marido e mulher". Se você tiver dúvidas sobre o que fazer, procure conselhos, sabendo que sempre há uma resposta, e você a receberá. Siga o caminho no fundo de sua alma. Ele fala com você em paz.

À deriva rumo ao divórcio

Recentemente um jovem casal que conheço, casado há apenas alguns meses, pediu o divórcio. Descobri que o jovem tinha um medo constante de que sua esposa o deixasse. Ele esperava rejeição e acreditava que ela seria infiel. Estes pensamentos povoaram sua mente todos os dias e se tornaram uma obsessão para ele. Sua atitude mental era de separação e desconfiança. Ela se sentia entorpecida para ele; era seu próprio sentimento ou suspeita de perda e separação que operava entre eles. Isto levou a uma realização de acordo com o modelo mental criado. Existe uma lei de ação e reação, ou causa e efeito. O pensamento é a ação e a resposta da mente inconsciente é a reação. Sua esposa acabou por deixá-lo e pediu o divórcio, o que é exatamente o que ele temia.

O divórcio começa na mente

O divórcio acontece primeiro na mente; o processo judicial segue-se. Estes dois jovens estavam cheios de ressentimento, medo, desconfiança e raiva. Estas atitudes enfraquecem e debilitam o ser inteiro. Eles aprenderam que o ódio se divide e o amor une. Eles começaram a entender o que tinham feito com a mente. Nenhum dos dois conhecia a lei da ação mental, e abusaram de suas mentes e causaram o caos e a infelicidade. Estas duas pessoas voltaram juntas por minha sugestão e experimentaram a terapia de oração.

Eles começaram a sentir amor, paz e boa vontade um com o outro novamente. Cada um deles praticava harmonia radiante, saúde, paz e amor ao outro e se revezavam na leitura dos Salmos todas as noites.

Seu casamento se tornava mais bonito a cada dia.

Esposa inquieta

Muitas vezes, a razão pela qual a esposa fica agitada é porque ela não recebe atenção. Muitas vezes, é um desejo de amor e afeto. Dê atenção a sua esposa e mostre-lhe sua apreciação, exaltando todos os seus muitos méritos.

Isto não deve ser confundido com o tipo de mulher que quer fazer com que o homem se adapte a seu modelo particular. Esta é a maneira mais rápida do mundo de se sentir só.

A esposa e o marido devem parar de olhar os pequenos defeitos ou erros um do outro o tempo todo. Ao invés disso, concentre-se nas qualidades positivas e maravilhosas do parceiro.

O marido chato

Se um homem começa a chorar e se torna mórbido para sua esposa por causa de certas coisas que ela disse ou fez, tecnicamente falando, ele está cometendo adultério. Um dos significados de adultério é idolatria, ou seja, unir mentalmente o que é negativo e destrutivo. Quando um homem está cheio de ressentimento e hostilidade por sua esposa, ele é infiel. Ele não é fiel a seus votos matrimoniais, que são de amá-la, acarinhá-la e honrá-la todos os dias de sua vida.

O homem triste, amargo e ressentido tem que eliminar as críticas e reduzir a raiva, fazendo tudo para ser atencioso, gentil e cortês. Ele pode contornar habilmente as diferenças. Através de elogios e esforço mental, ele pode romper com o hábito do antagonismo. Então, ele poderá se dar bem não apenas com sua esposa, mas também com outras pessoas ao seu redor. Entre em um estado de harmonia e você encontrará paz e serenidade.

Um grande erro

Um grande erro é discutir seus problemas conjugais com amigos e parentes. Suponha, por exemplo, que uma esposa diga a seu vizinho:

'John nunca me dá dinheiro'. Ele trata minha mãe de forma abominável, bebe em excesso e é constantemente abusivo".

Agora, esta esposa está degradando e depreciando seu marido aos olhos de amigos e parentes. Nunca discuta seus problemas conjugais com ninguém, exceto com um conselheiro. Por que fazer muitas pessoas verem seu casamento de forma negativa? Além disso, enquanto você se concentra nestas deficiências de seu parceiro, você está realmente criando estes estados dentro de si mesmo. De fato, quem está pensando e sentindo-as? Você! O que você está pensando e sentindo, você é.

Os parentes geralmente dão maus conselhos porque não são dados de forma tendenciosa e objetiva. Qualquer conselho que viole a regra de ouro, que é uma lei cósmica, não pode ser bom.

É bom lembrar que nenhum ser humano jamais viveu sob o mesmo teto sem confrontos, períodos de dor e argumentos. Nunca mostre o lado infeliz de seu casamento a seus amigos. Guarde suas brigas para si mesmo. Abstenha-se de criticar publicamente seu parceiro.

Não tente mudar sua esposa

Um marido não deve tentar transformar sua esposa em uma segunda versão de si mesmo. A tentativa de mudá-la é estranha à sua natureza. Tais tentativas são sempre ridículas e muitas vezes levam à dissolução do casamento. Tais tentativas destroem seu orgulho e auto-estima, e despertam um espírito de contrariedade e ressentimento que se revela fatal para o vínculo matrimonial.

Certos ajustes são necessários, é claro, mas se você olhar honestamente dentro de si mesmo, e observar seu caráter e comportamento, você descobrirá que tem tantas falhas quanto você. Ao dizer: "Eu a transformarei na pessoa que eu quero", seu casamento já tem praticamente um pé na cova. Você terá que aprender em sua própria pele que não há mais ninguém para mudar, a não ser você mesmo.

166

Permanecer juntos seguindo os passos da oração

O primeiro passo

Não carregar as irritações e pequenas decepções de hoje para o amanhã. É importante perdoar um ao outro antes de ir dormir. Ao acordar pela manhã, repita: "A inteligência infinita está me guiando". Envie pensamentos amorosos de paz, harmonia e amor a seu parceiro, a todos os membros da família e ao mundo.

O segundo passo

Agradecer no café da manhã. Dê graças pela comida, por sua abundância e por todas as suas bênçãos. Certifique-se de que nenhum problema, preocupação ou argumento entre na conversa à mesa; o mesmo vale para o jantar. Diga a sua esposa ou marido: "Agradeço tudo o que você está fazendo e irradio amor e boa vontade para você ao longo do dia.

A terceira etapa

O marido e a esposa devem revezar-se para rezar todas as noites. Não tome seu parceiro como certo, mostre seu apreço e amor.

Pense em apreço e boa vontade, ao invés de condenação, crítica e incômodo. A maneira de construir uma "casa" de casamento feliz é usar uma fundação de amor, beleza, harmonia, respeito mútuo, fé em Deus e tudo o que é bom. Leia os Salmos 23, 27, e 91, o 11º capítulo de Hebreus, o 13º capítulo de 1 Coríntios, e outros textos bíblicos antes de dormir. Quando você praticar estas verdades, seu casamento crescerá mais e mais abençoado ao longo dos anos.

Resumimos as ações mais importantes

1.

A ignorância das leis mentais e espirituais é a causa de toda infelicidade conjugal. Ao rezarmos juntos, ficamos juntos.

2.

O melhor momento para evitar o divórcio é antes do casamento. Se você aprender a rezar da maneira correta, você atrairá o parceiro certo para você.

3.

O casamento é a união de um homem e de uma mulher ligados pelo amor. Seus corações batem como um só e se movem para frente, para cima e para Deus.

4.

O casamento não dá felicidade automaticamente. As pessoas encontram a felicidade ao se deter nas verdades eternas de Deus e nos valores espirituais da vida. Só então o homem e a mulher podem contribuir um para a felicidade e a alegria do outro.

5.

Atrai-se o companheiro certo ao se deter nas qualidades e características que se admira em uma mulher ou homem, e então a mente inconsciente o unirá na ordem divina.

6.

É necessário construir o equivalente mental do que se deseja em um parceiro. Se você quer atrair um parceiro honesto, sincero e amoroso em sua vida, você deve ser honesto, sincero e amoroso.

7.

Não é preciso repetir os erros no casamento. Quando você realmente acredita que vai encontrar o tipo de homem ou mulher que você idealiza, isso vai acontecer. Acreditar é aceitar algo verdadeiro. Aceite mentalmente seu companheiro ideal.

8.

Não se pergunte como, quando ou por que você vai encontrar aquele companheiro pelo qual você está orando. Confie implicitamente na sabedoria de sua mente inconsciente, ela se encarregará disso.

9.

Abandonar-se a ressentimentos e hostilidades para com seu parceiro é quase como se já estivesse divorciado. Você está mentalmente se remoendo no erro em sua mente. Não se esqueça de seus votos matrimoniais: "Prometo amá-lo e honrá-lo todos os dias da minha vida".

10.

Pare de projetar padrões de medo em seu parceiro. Em vez disso, projetar amor, paz, harmonia e boa vontade e seu casamento se tornará cada vez mais belo e maravilhoso ao longo dos anos.

11.

Vocês irradiam amor, paz e boa vontade um para o outro. Estas vibrações são captadas pela mente inconsciente e se traduzem em confiança mútua, afeto e respeito.

12.

Uma esposa que se preocupa geralmente procura atenção e apreço. Tente elogiá-la e exaltar seus muitos méritos, mostrar-lhe que a ama e a aprecia.

13.

Um homem que ama sua esposa não faz nada de pouco amável ou indelicado em palavras, modos ou ações. O amor é o que faz o amor.

14.

Em caso de problemas conjugais, procure sempre o conselho de especialistas. Assim como você não iria a um carpinteiro para ser arrancado um dente, você não deve discutir seus problemas matrimoniais com parentes ou amigos.

15.

Nunca tente mudar sua esposa ou marido. Tais tentativas são sempre prejudiciais e tendem a destruir o orgulho e a auto-estima do outro. Além disso, suscita um espírito de ressentimento que se revela fatal para o vínculo matrimonial. Não tente fazer da outra pessoa uma versão de si mesmo.

16.

Rezem juntos e fiquem juntos. A oração científica resolve todos os problemas. Imagine mentalmente sua esposa como ela deve ser, alegre, feliz, saudável e bonita. Veja seu marido como ele deve ser, forte, poderoso, amoroso, harmonioso e bondoso. Mantenha este quadro mental e você experimentará o casamento que é harmonia e paz.

Capítulo XV - A Inconsciência e a Felicidade

William James, o pai da psicologia americana, disse que a maior descoberta do século 19 não foi no domínio da ciência física. A maior descoberta foi o poder do inconsciente tocado pela fé. Em cada ser humano existe aquele reservatório ilimitado de poder que pode superar qualquer problema no mundo.

A felicidade verdadeira e duradoura entrará em sua vida no dia em que você perceber que sua mente inconsciente pode resolver seus problemas, curar seu corpo e fazer você prosperar muito além de seus sonhos mais loucos.

Você deve ter se sentido muito feliz quando seu filho nasceu, quando se casou, quando se formou ou quando ganhou um prêmio. Você deve ter se sentido muito feliz quando ficou noivo da mulher mais bonita ou do homem mais bonito. Você poderia continuar listando as inúmeras experiências que o fizeram feliz. Entretanto, por mais maravilhosas que sejam estas experiências, elas não dão uma verdadeira felicidade duradoura - elas são transitórias.

O Livro de Provérbios dá a resposta: Quem confia no Senhor é feliz. Quando você confiar no Senhor (o poder e a sabedoria de sua mente inconsciente) para conduzir, guiar, governar e dirigir todos os seus caminhos, você se tornará equilibrado, sereno e relaxado. Enquanto você irradia amor, paz e boa vontade para todos, você está construindo uma superestrutura de felicidade para todos os dias de sua vida.

Escolha a felicidade

A felicidade é um estado de espírito. Há uma frase na Bíblia que diz: "Você escolhe este dia que você vai servir". Você tem a liberdade de escolher a felicidade. Pode parecer muito simples, mas é assim mesmo. Talvez seja por isso que as pessoas tropeçam no caminho da felicidade; elas não vêem a simplicidade que é a chave da felicidade.

As grandes coisas na vida são simples, dinâmicas e criativas. Produzir bem-estar e felicidade.

São Paulo nos revela como podemos entrar numa vida de força dinâmica e felicidade com estas palavras: Quanto ao resto, irmãos, todas as coisas que são verdadeiras, todas as coisas que são honestas, todas as coisas que são justas, todas as coisas que são puras, todas as coisas que são adoráveis, todas as coisas que são de bom relatório, se há alguma virtude e se há algum elogio, pensem sobre estas coisas. Philippians 4:8.

Como escolher a felicidade

Comece agora a escolher a felicidade. Eis como: Quando você abre os olhos pela manhã, diga para si mesmo: "A ordem divina cuida da minha vida hoje e todos os dias. Todas as coisas funcionam para o bem de hoje. Este é um novo e maravilhoso dia para mim. Nunca mais haverá um dia como este. Sou guiado por Deus ao longo do dia e o que quer que eu faça, terei boa sorte e prosperidade. O amor divino me cerca, me envolve e eu avanço em paz. Sempre que minha atenção se afasta do que é positivo e construtivo, eu a devolvo imediatamente à contemplação do que é bom. Sou um ímã espiritual e mental que atrai todas as coisas que me abençoam. Hoje serei bem sucedido em todos os meus empreendimentos. Eu certamente serei feliz durante todo o dia".

Comece todos os dias desta maneira; desta forma você escolherá ser uma pessoa alegre.

Criar um hábito de felicidade

Alguns anos atrás, fiquei por cerca de uma semana em uma cabana no Connemara, na costa oeste da Irlanda. O fazendeiro proprietário da casa de campo estava constantemente cantando e assobiando, e estava sempre de bom humor. Perguntei-lhe sobre o segredo da felicidade, e sua resposta foi: 'É meu hábito ser feliz'. Todas as manhãs quando acordo e todas as noites antes de dormir, abençôo minha família, as colheitas, o gado e agradeço a Deus por todos esses

172

dons".

Este fazendeiro vinha praticando isto há mais de quarenta anos. Como você sabe, os pensamentos se repetem regularmente e sistematicamente se afundam na mente inconsciente e se tornam habituais. A felicidade é habitual.

Você deve querer ser feliz

Há um ponto muito importante sobre ser feliz. Você tem que desejar sinceramente ser feliz. Há pessoas que estão deprimidas e infelizes há tanto tempo que nem reagem a receber boas notícias - como aquela mulher que me disse: "É errado ser tão feliz". Essas pessoas estão tão acostumadas com os velhos padrões mentais que não se sentem confortáveis em ser felizes, que anseiam por um estado deprimido e infeliz.

Eu conheci uma senhora idosa na Inglaterra que sofreu de reumatismo por muitos anos. Ela batia os joelhos e dizia: 'Meu reumatismo é ruim hoje em dia'. Eu não posso sair. Meu reumatismo me faz infeliz".

Esta senhora recebeu tanta atenção de seus filhos e vizinhos. Ela realmente queria seu reumatismo, ela gostava de sua "infelicidade", como ela a chamava. Esta mulher realmente não queria ser feliz.

Eu sugeri um procedimento de cura para ela. Escrevi alguns versículos bíblicos e lhe disse que se ela prestasse atenção a essas verdades, sua atitude mental sem dúvida mudaria e resultaria em sua fé e convicções. Mas isto não lhe interessava. Parece haver uma estranha maré mórbida em muitas pessoas, então elas parecem gostar de estar tristes.

Por que escolher a infelicidade?

Muitas pessoas escolhem a infelicidade repetindo para si mesmas estas idéias: "Hoje é um dia negro, tudo vai dar errado". "Não vou conseguir". "Todos estão contra mim". "Os negócios estão ruins e vão piorar". "Eu estou sempre atrasado". "Eu nunca descanço". "Ele pode, mas eu não posso". Se você tiver essa mentalidade logo pela manhã, você atrairá todas essas experiências para o seu dia.

Comece a perceber que o mundo em que você vive é determinado pelo que se passa em sua mente. Marcus Aurelius, o grande filósofo e sábio romano, disse: "A vida de um homem é o que seus pensamentos fazem dela". Emerson, um filósofo americano, disse: "Um homem é o que ele pensa o dia inteiro". Os pensamentos que habitualmente habitam sua mente têm a tendência de se realizar em condições físicas.

Certifique-se de não se entregar a pensamentos negativos, derrotistas ou desagradáveis e deprimentes. Lembre sua mente frequentemente que nada que você experimenta é estranho a sua mentalidade.

Se eu tivesse um milhão de dólares, eu ficaria feliz

Visitei muitos homens em instituições psiquiátricas que eram milionários, mas que diziam não ter um tostão e serem indigentes. Eles estavam presos por causa de tendências psicóticas, paranóicas e maníacas depressivas. A riqueza em si não nos fará felizes. Por outro lado, não é um impedimento para a felicidade. Hoje, há muitas pessoas que tentam comprar a felicidade através da compra de rádios, televisores, carros, uma vila, um iate particular ou uma piscina, mas a felicidade não pode ser comprada ou adquirida desta forma.

O reino da felicidade está nos pensamentos e sentimentos. Muita gente tem a idéia de que é preciso algo artificial para produzir felicidade. Alguns dizem: 'Se eu fosse eleito prefeito, promovido a presidente da organização, promovido a CEO da empresa, eu ficaria feliz'.

A verdade é que a felicidade é um estado de espírito. Nenhuma dessas coisas necessariamente trará felicidade. Sua força, alegria e felicidade consistem em descobrir a lei da ordem divina e a ação correta de sua mente inconsciente, e aplicar estes princípios em todas as fases de sua vida.

A felicidade é a colheita de uma mente tranqüila

Há alguns anos, em uma conferência em São Francisco, entrevistei um homem que estava muito infeliz e desconsolado sobre o andamento de seus negócios. Ele era um gerente geral. Seu coração estava cheio de ressentimento para com o vice-presidente e o presidente da organização. Ele afirmou que eles se opunham a ele. Devido a este conflito interno, os negócios estavam em declínio; ele não recebia dividendos ou bônus de ações.

Foi assim que ele resolveu seu problema. Primeiro, ele declarou calmamente no início da manhã: "Todos que trabalham em nossa empresa são honestos, sinceros, cooperativos, fiéis e cheios de boa vontade para com todos. Eles são elos mentais e espirituais na cadeia de crescimento, bem-estar e prosperidade desta empresa. Eu transmito amor, paz e boa vontade em meus pensamentos, palavras e ações aos meus dois sócios e a todos os funcionários da empresa. O presidente e vice-presidente de nossa empresa são divinamente guiados em todos os seus empreendimentos. A Inteligência Infinita de minha mente inconsciente toma todas as decisões através de mim. Só há uma ação correta em todas as nossas transações comerciais e em nossas relações mútuas. Envio os mensageiros de paz, amor e boa vontade comigo para o escritório. Paz e harmonia reina suprema nas mentes e corações de todos na empresa, inclusive eu. Agora começo um novo dia, cheio de fé e confiança".

Este executivo repetiu a meditação acima lentamente três vezes a cada manhã, sentindo a verdade do que ele disse. Quando pensamentos negativos ou furiosos lhe vieram à mente durante o dia, ele repetiu para si mesmo: "Paz, harmonia e equilíbrio governam minha mente em todos os momentos.

Enquanto ele continuava a disciplinar sua mente desta maneira, todos os pensamentos nocivos deixavam de incomodá-lo e ele só tinha paz.

Mais tarde, ele me escreveu que após cerca de duas semanas de "arrumar" sua mente, o presidente e vice-presidente lhe ofereceram uma promoção, elogiando suas operações e suas novas idéias construtivas, e observando a sorte que tiveram em tê-lo como gerente geral. O homem havia encontrado a felicidade em si mesmo

O obstáculo não está realmente lá

Há alguns anos, li um artigo de jornal sobre um cavalo que ficou preso vendo um grande toco na estrada. Posteriormente, toda vez que o cavalo se aproximava do mesmo coto, ele se movia. O fazendeiro removeu o toco, queimou-o e limpou a estrada. No entanto, durante vinte e cinco anos, toda vez que o cavalo passava pelo local onde estava o toco, ele se movia. O cavalo temia a memória daquele toco.

Não há bloqueio para a felicidade, exceto em sua vida de pensamento e em suas imagens mentais. O medo o retém? O medo é apenas um pensamento em sua mente. Você pode desenterrá-lo, suplantando-o com fé no sucesso, no cumprimento e na vitória sobre todos os problemas.

Eu conhecia um homem que falhou nos negócios, e mesmo assim ele declarou: "Eu cometi erros. Eu aprendi muito. Voltarei ao trabalho e terei imenso sucesso". Ele enfrentou essa tensão em sua mente. Ele não reclamou, mas eliminou o tronco do fracasso e, acreditando em seus poderes interiores, baniu todos os pensamentos de medo e velhas depressões. Acredite em si mesmo: você terá sucesso e será feliz.

As pessoas mais felizes

O homem mais feliz é aquele que pratica constantemente o que há de melhor em si mesmo. Felicidade e virtude se complementam. Não apenas as melhores pessoas são as mais felizes, mas as mais felizes são geralmente as melhores na arte de viver a vida com sucesso. Deus é a melhor parte de você. Expresse nada menos que o amor, a luz, a verdade e a beleza de Deus e você se tornará uma das pessoas mais felizes do mundo.

Epictetus, o filósofo estóico grego, disse: "Só há um caminho para a tranqüilidade e a felicidade, portanto, faça-o sempre à mão com você, quando você acorda de manhã, ao longo do dia e quando você vai dormir, e não dá conta de coisas externas, mas confia tudo isso a Deus".

Resumo dos Passos para a Felicidade

1.
William James disse que a maior descoberta do século XIX foi o poder da mente inconsciente tocada pela fé.

2.
Há um enorme poder dentro de você. A felicidade virá quando você ganhar confiança neste poder. Então, você realizará seus sonhos.

3.
Você pode sair vitorioso de cada derrota e realizar os desejos de seu coração através do maravilhoso poder de sua mente inconsciente. Este é o significado de Quem confia no Senhor (leis espirituais da mente inconsciente) é feliz.

4.
Escolha a felicidade e faça dela um hábito. É bom pensar freqüentemente em todas as coisas que são honestas, todas as coisas que são justas, todas as coisas que são puras, todas as coisas que são adoráveis, todas as coisas que são de bom relato, se há alguma virtude e se há algum elogio, pense nestas coisas. Philippians 4:8.

5.
Quando você abre os olhos pela manhã, diga para si mesmo: "Eu escolho a felicidade hoje". Eu escolho o sucesso. Hoje eu escolho a ação certa. Eu escolho o amor e a boa vontade para todos. Hoje eu escolho a paz". Coloque todo seu amor nesta afirmação, e você terá escolhido a felicidade.

6.
Agradeça por todas as suas bênçãos, várias vezes ao dia. Reze pela paz, felicidade e prosperidade para todos os membros de sua família, seus colegas de trabalho e todas as pessoas.

7.

Você deve desejar sinceramente ser feliz. Nada é realizado sem desejo. O desejo é um sonho com asas de imaginação e fé. Imagine a realização de seu desejo, sinta sua realidade, e ela se tornará realidade. A felicidade vem da oração respondida.

8.

Ao se deter constantemente em pensamentos de medo, preocupação, raiva, ódio e fracasso, você se torna deprimido e infeliz. Lembre-se, sua vida é o que seus pensamentos fazem dela.

9.

Não se pode comprar a felicidade com todo o dinheiro do mundo. Alguns milionários são muito felizes, outros são muito infelizes. Muitas pessoas que possuem muito pouco são muito felizes e outras são muito infelizes. Algumas pessoas casadas são felizes e outras muito infelizes. Algumas pessoas solteiras são felizes e outras muito infelizes. O reino da felicidade está nos pensamentos e sentimentos.

10.

A felicidade é o fruto de uma mente pacífica. Ancorar seus pensamentos sobre paz, equilíbrio, segurança e orientação divina e sua mente gerará felicidade.

11.

Não há nenhum obstáculo à sua felicidade. As coisas externas não são causais, são efeitos. Pegue sua deixa do único princípio criativo dentro de você. Seu pensamento é uma causa, e a nova causa produz um novo efeito. Escolha a felicidade.

12.

O homem mais feliz é aquele que dá o melhor de si mesmo. Deus é a melhor parte de nós, e de fato o reino de Deus está dentro de nós.

Capítulo XVI - As Relações Humanas Inconscientes e Harmoniosas

Ao estudar este livro, você aprenderá que sua mente inconsciente é como um gravador que reproduz fielmente tudo o que você imprime nele.

Esta é uma das razões para a aplicação da regra de ouro nas relações humanas.

Mateus 7:12 diz: O que quer que você queira que os homens lhe façam, faça também a eles. Esta citação tem um significado exterior e interior. Você está interessado em seu significado interno do ponto de vista de sua mente inconsciente, ou seja: pense nos outros como você gostaria que os outros pensassem em você; sinta pelos outros como você gostaria que os outros sentissem por você; aja para os outros como você gostaria que os outros agissem para com você.

Por exemplo, você pode ser educado e cortês com alguém no escritório, mas quando eles lhe viram as costas, você começa a falar em sua mente. Estes pensamentos negativos são altamente destrutivos para você. É como tomar veneno. Você está realmente tomando venenos mentais que lhe roubam a vitalidade, o entusiasmo, a força, o ímpeto e a boa vontade. Esses pensamentos e emoções negativas afundam em seu inconsciente e causam todo tipo de dificuldades e doenças em sua vida.

A chave para um relacionamento feliz com os outros

Não julgueis, para não serdes julgados. Pois você será julgado de acordo com o julgamento com o qual você julgar, e com a medida com a qual você medir, ela também será medida para você. Mateus 7:1-2.

O estudo destes versos e a aplicação das verdades interiores que eles contêm é a verdadeira chave para relações harmoniosas. Julgar é pensar, chegar a um veredicto ou conclusão mental em sua mente. O pensamento que você tem sobre a outra pessoa é na verdade o seu pensamento, porque você está pensando nisso. Seus pensamentos são criativos, portanto, você realmente cria em sua experiência o que você pensa e sente sobre a outra pessoa. Também é verdade que a sugestão que você dá a outro, você dá a si mesmo, porque a mente é o meio criativo.

É por isso que se diz: 'Porque você será julgado da mesma maneira que você julga'. Quando você conhecer esta lei e a forma como sua mente inconsciente funciona, começará a pensar, sentir e agir bem para com os outros. Estes versos ensinam a emancipação do homem e revelam a solução para problemas individuais.

O bem que você faz aos outros voltará para você; e o mesmo para o mal. Se um homem engana e engana outro, na verdade ele está enganando e enganando a si mesmo, sua culpa inevitavelmente atrairá algo negativo em algum momento. Seu inconsciente registra seu ato mental e reage de acordo com a intenção ou motivação mental.

Sua mente inconsciente é impessoal e imutável, não depende de outras pessoas, filiações religiosas ou instituições de qualquer tipo. Não é compassivo nem vingativo. A maneira como você pensa, sente e age em relação aos outros é pelo menos sobre você mesmo.

As manchetes o deixaram doente

Comece observando-se a si mesmo. Observe suas reações às pessoas, condições e circunstâncias. Como você responde aos eventos e notícias do dia? Não faz diferença se todas as outras pessoas estavam erradas e só você estava certo. Se as notícias o incomodarem, isso o prejudicará porque suas emoções negativas o privam da paz e da harmonia.

Uma mulher me escreveu sobre seu marido, dizendo que ele fica com raiva quando lê certos jornais. Ela acrescentou que sua constante raiva expressa e reprimida lhe causou terríveis úlceras e seu médico recomendou um recondicionamento emocional.

Convidei este homem para me ver e lhe expliquei a maneira como sua mente funciona e como ele era emocionalmente imaturo para se irritar com artigos escritos por outros.

Ele começou a perceber que os jornalistas deveriam ter a liberdade de se expressar, mesmo que suas opiniões sejam diferentes. Da mesma forma, os jornalistas devem dar a seus leitores a oportunidade de escrever uma carta para o jornal se discordarem das declarações publicadas. O homem aprendeu que poderia discordar sem ser desagradável. Ele finalmente percebeu a simples verdade de que nunca é o que uma pessoa diz ou faz que o influencia, é sua reação ao que é dito ou feito que conta.

Esta explicação foi a cura para este homem, e ele percebeu que com um pouco de prática ele poderia dominar sua negatividade. Sua esposa me disse depois que o homem começou a ir com calma - ele não mais deu aos jornais o poder de perturbá-lo, aborrecê-lo ou irritá-lo. Suas úlceras desapareceram graças a este equilíbrio emocional e serenidade.

Eu odeio mulheres, mas gosto de homens

Uma secretária era muito amarga com algumas das garotas de seu escritório porque fofocava sobre ela e, segundo ela, espalhava mentiras a seu respeito. Ela admitiu que não gostava de mulheres. Ela disse: "Eu odeio mulheres, mas gosto de homens". Descobri que ela se dirigiu àquelas meninas no escritório em um tom de voz muito altivo, imperioso e irritável. Ela disse que eles estavam tornando a vida deliberadamente difícil para ela; ela tinha uma maneira pomposa de falar, e eu podia entender por que algumas pessoas foram adiadas por aquele tom de voz.

Se todas as pessoas no escritório o incomodam, não é possível que a vibração, o incômodo e a agitação sejam devidos a algum padrão inconsciente ou projeção mental de sua parte? Sabemos que um cão reagirá ferozmente se você odiar ou tiver medo de cães. Os animais captam as vibrações do inconsciente e reagem de acordo. Muitos seres humanos indisciplinados são tão sensíveis quanto cães, gatos e outros animais.

Sugeri um processo de oração a esta secretária que odeia mulheres, explicando-lhe que quando ela começasse a se identificar com as virtudes espirituais e a afirmar as verdades da vida, seu tom de voz, maneirismos negativos e ódio às mulheres desapareceriam completamente. Ela se surpreendeu ao descobrir que a emoção do ódio se manifestava em seus discursos, ações, escritos e em todas as fases de sua vida. Ela deixou de reagir de maneira ressentida e furiosa. Ela estabeleceu um padrão de oração, que ela praticava regularmente, sistemática e conscientemente no escritório.

A oração foi: "Penso, falo e ajo com amor, paz e sensibilidade". Eu irradio amor, paz, tolerância e bondade para todas as meninas que me criticaram e fofocaram sobre mim. Baseio todos os meus pensamentos na paz, harmonia e boa vontade. Sempre que estou prestes a reagir negativamente, digo a mim mesmo: "Devo falar e agir a partir da perspectiva do princípio de harmonia, saúde e paz dentro de mim. A inteligência criativa guia todas as minhas ações".

A prática desta oração transformou sua vida e todas as críticas e aborrecimentos cessaram. As meninas se tornaram colegas de trabalho e amigas serenas. Ela descobriu que não há ninguém para mudar a não ser nós mesmos.

Seu discurso interior impediu sua promoção

Um dia um vendedor veio me ver e descreveu suas dificuldades em trabalhar com o gerente de vendas de sua empresa. Ele estava na empresa há dez anos e não tinha recebido qualquer tipo de promoção ou reconhecimento. Ele me mostrou seus números de vendas, que foram proporcionalmente mais elevados do que os dos outros homens no mesmo território. Ele disse que o gerente de vendas não gostava dele, que ele era tratado injustamente e que durante as conferências o gerente era rude com ele e às vezes ridicularizava suas sugestões.

Expliquei que sem dúvida a causa estava em grande parte dentro dele e que seu conceito e sua fé em seu diretor se refletiam em sua reação. A medida que usamos será usada sobre nós. Sua medida mental ou conceito do gerente de vendas era que ele era injusto e rabugento. Ele estava cheio de amargura e hostilidade para com o gerente. A caminho do trabalho ele repetiu para si mesmo um monólogo cheio de críticas, argumentos, recriminações e reclamações para com o gerente de vendas.

O que ele semeava mentalmente, ele inevitavelmente colheria. O vendedor percebeu que seu discurso interior era altamente destrutivo devido à intensidade e força de seus pensamentos e emoções negativas e condenações mentais para com o gerente de vendas. Isto levou à reação negativa do diretor e à criação de muitos outros distúrbios pessoais, físicos e emocionais.

Ele começou a rezar frequentemente assim: "Eu sou o único pensador em meu universo. Eu sou responsável pelo que penso do meu chefe. O gerente de vendas não é responsável pela maneira como eu penso nele. Eu me recuso a dar a qualquer pessoa, lugar ou coisa o poder de me aborrecer ou perturbar. Desejo saúde, sucesso, tranqüilidade e felicidade ao meu chefe. Desejo-lhe felicidades e sei que ele é guiado por Deus em todas as suas ações.

Ele repetiu esta oração em voz alta com calma, tranqüilidade e transporte, sabendo que sua mente é como um jardim e que tudo o que ele planta no jardim florescerá de acordo com o tipo de semente.

Ele também aprendeu a praticar imagens mentais antes de dormir, assim: ele imaginava que o gerente de vendas o estava parabenizando por seu bom trabalho, seu zelo e entusiasmo e pela maravilhosa reação dos clientes. Ele sentiu a realidade de tudo isso - seu aperto de mão, o tom de sua voz e o viu sorrir. Ele criou um verdadeiro filme mental, dramatizando-o da melhor forma possível. Noite após noite, ela conduziu este movimento mental, sabendo que sua mente

183

inconsciente era o filme no qual sua imaginação consciente ficaria impressa.

Gradualmente, através de um processo que pode ser chamado de osmose mental e espiritual, a impressão foi impressa em sua mente inconsciente, e a expressão saiu automaticamente. O gerente de vendas o chamou para São Francisco, o parabenizou e lhe deu uma nova tarefa como gerente de vendas de uma divisão com mais de cem homens, com um aumento salarial como resultado. Isso mudou seu conceito e a estima de seu chefe, e este último respondeu de acordo.

Maturidade emocional

O que outra pessoa diz ou não tem o poder de incomodá-lo ou perturbá-lo, a menos que você permita. A única maneira de influenciá-lo é através de seu próprio pensamento. Por exemplo, se você ficar com raiva, você tem que passar por quatro níveis em sua mente. Você começa a pensar no que lhe foi dito. Você decide ficar com raiva e gerar uma emoção de raiva. Então, você decide agir. Você escolhe responder e reagir com gentileza - você verá que o pensamento, a emoção, a reação e a ação acontecem em sua mente.

Quando você se torna emocionalmente maduro, você não responde negativamente às críticas e ressentimentos dos outros. Isto envolveria descer ao nível da outra pessoa, e descer ao seu estado de espírito negativo. Identifique-se com seu propósito na vida e não permita que nenhuma pessoa, lugar ou coisa o distraia de seu senso interior de paz, tranqüilidade e saúde.

O papel do amor nas relações humanas harmoniosas

Sigmund Freud, o fundador da psicanálise, disse que se a personalidade não tem amor, ela fica doente e morre. O amor inclui compreensão, boa vontade e respeito pela divindade na outra pessoa. Quanto mais amor e boa vontade você emitir, mais você receberá.

Se você menosprezar o ego da outra pessoa e aumentar sua auto-estima, você não obterá boa vontade dele. Perceba que todo homem quer ser amado e apreciado, e fazer com que se sinta importante no mundo. A pessoa diante de nós está consciente de seu verdadeiro valor e, como nós, sente a dignidade de ser uma expressão do Princípio de Uma Vida que anima todos os homens. Fazendo isso conscientemente, construímos a outra pessoa, e ela nos devolverá amor e boa vontade.

Ele odiava o público

Um ator me disse que a platéia o vaiou em sua primeira aparição no palco. Ele acrescentou que a peça estava mal escrita e que certamente não tinha um bom papel. Ele admitiu-me abertamente que durante meses ele odiava a platéia. Ele os chamou de estúpidos, ignorantes, ingênuos, etc. Ele deixou o palco com repugnância e foi trabalhar em uma farmácia por um ano.

Um dia, um amigo o convidou para ouvir uma palestra na prefeitura de Nova York sobre "Como se dar bem conosco mesmos". Esta palestra mudou sua vida. Ele voltou ao palco e começou a rezar sinceramente pelo público e por si mesmo. Ele enviava amor e boa vontade todas as noites antes de aparecer no palco. Ele tinha o hábito de afirmar que a paz de Deus enchia os corações de todos os presentes e que todos os presentes eram elevados e inspirados. Durante cada apresentação, ele enviava vibrações de amor para o público. Hoje ele é um grande ator, que ama e respeita as pessoas. Sua boa vontade e estima são transmitidas a outros e são sentidas por eles.

Como lidar com pessoas difíceis

Há pessoas difíceis no mundo, perturbadas, mal condicionadas. Muitos são uma espécie de delinqüentes mentais, não cooperativos, de temperamento curto, cínicos sobre a vida. Eles estão psicologicamente doentes. Muitas pessoas deformaram e distorceram as mentes, provavelmente devido a algo que aconteceu na infância.

Muitos têm deformidades congênitas. Não se condenaria uma pessoa com tuberculose, nem se deve condenar uma pessoa mentalmente doente. Ninguém, por exemplo, odiaria um corcunda; é como se houvesse muitos corcundas mentais. Você deve ter compaixão e compreensão. Entender tudo significa perdoar a todos.

A infelicidade ama a companhia

A personalidade odiosa, frustrada e distorcida não está em sintonia com o infinito. Ele não suporta aqueles que estão em paz, felizes e alegres. Ele geralmente critica, condena e difama aqueles que foram muito bons e gentis com ele. Sua atitude é a seguinte: por que eles deveriam estar tão felizes quando ele está tão infeliz? Ele quer arrastá-los até seu próprio nível. A infelicidade ama a companhia. Quando você entende isto, é muito mais fácil permanecer calmo e indiferente.

A prática da empatia nas relações humanas

Uma garota me visitou recentemente e disse que odiava outra garota em seu escritório. Ela deu como razão o fato de que a outra garota era mais bonita, mais feliz e mais rica do que ela e, além disso, estava noiva do chefe da empresa onde eles trabalhavam. Um dia após o casamento, a filha aleijada (de um casamento anterior) da mulher que ele odiava entrou no escritório. A criança colocou seus braços ao redor da mãe e disse: "Mamãe, eu amo tanto meu novo papai! Veja o que ele me deu"! Ela mostrou a sua mãe um novo brinquedo maravilhoso.

Ele me disse: "Meu coração havia sido aberto por aquela menina, e eu sabia como ela devia se sentir feliz. Tive uma visão de como esta mulher estava feliz. De repente senti amor por ela, entrei em seu escritório e lhe desejei toda a felicidade do mundo - e falei a sério".

Nos círculos psicológicos de hoje, isto se chama empatia, o que significa simplesmente a projeção de sua atitude mental para a de outro. A senhora projetou seu próprio estado de espírito ou o sentimento de seu coração no da outra mulher, e começou a pensar e a olhar do ponto de vista da outra mulher. Ela pensou e sentiu não apenas como a outra mulher, mas também como a criança, porque ela se projetou até mesmo na mente da criança. Ela estava vendo as coisas do ponto de vista da mãe.

Se você for tentado a pensar mal de outro, projete-se mentalmente na mente de Moisés e pense a partir da perspectiva dos Dez Mandamentos. Se você é propenso a ter inveja, ciúmes ou raiva, projete-se na mente de Jesus e pense desse ponto de vista, e sentirá a verdade das palavras "Ame o próximo".

A rendição não paga

Não permita que as pessoas se aproveitem de você e ganhem através de birras infantis ou birras deste tipo. Essas pessoas são ditadores tentando usá-lo e obrigá-lo a fazer o que eles querem. Seja firme, mas gentil e se recuse a ceder. A rendição não paga. Recusam-se a contribuir para a sua artimanha, egoísmo e possessividade. Lembre-se, faça o que é certo. Você está neste mundo para cumprir seu ideal e permanecer fiel às verdades eternas e aos valores espirituais da vida que são eternos.

Não dê a ninguém o poder de distraí-lo de seu objetivo, seu propósito na vida, que é mostrar ao mundo seus talentos ocultos, servir à humanidade e revelar cada vez mais a sabedoria, verdade e beleza de Deus a todos os povos do mundo. Permaneça fiel ao seu ideal. Esteja ciente, com absoluta certeza, de que tudo que contribui para sua paz, felicidade e realização deve necessariamente abençoar todos os homens que caminham pela Terra. A harmonia da parte é a harmonia do todo, pois o todo está nas partes, e a parte está no todo. Tudo o que você deve ao outro, como diz Paulo, é amor, e o amor é o cumprimento da lei da saúde, da felicidade e da paz de espírito.

Pontos úteis para as relações humanas

1.

Sua mente inconsciente é um gravador que reproduz seu pensamento habitual. Pense bem no outro, e você estará pensando bem em si mesmo.

2.

Um pensamento de ódio ou ressentimento é um veneno mental. Não pense mal de outro porque fazer isso é pensar mal de si mesmo. Você é o único pensador em seu universo, e seus pensamentos são criativos.

3.

Sua mente é um meio criativo; portanto, o que você pensa e sente pela outra pessoa, você também perceberá em sua própria experiência. Este é o significado psicológico da Regra de Ouro.

4.

Trapacear, roubar ou enganar outro traz falta, perda e limitação para si mesmo. Sua mente inconsciente registra seus motivos, pensamentos e sentimentos interiores. Se estes forem de natureza negativa, você terá perda, limitação e dificuldade. Na realidade, o que você faz ao outro, você está fazendo a si mesmo.

5.

O bem que você faz, a gentileza que você oferece, o amor e a boa vontade que você envia, retornarão a você multiplicados de muitas maneiras.

6.

Você é o único pensador em seu mundo. Você é responsável pela maneira como pensa sobre os outros - não são outros que são responsáveis pelo que você pensa sobre eles. Seus pensamentos se multiplicam. O que você está pensando agora?

7.

Torne-se emocionalmente maduro e permita que outras pessoas tenham opiniões diferentes de você. Eles têm o direito de discordar de você, e você tem a mesma liberdade para discordar deles. Você pode discordar sem ser desagradável.

8.

Os animais captam suas vibrações de medo e reagem de acordo com elas. Se você ama os animais, eles não o atacarão. Muitos seres humanos indisciplinados são tão sensíveis quanto cães, gatos e outros animais.

9.

Seu discurso interior, representando seus pensamentos e sentimentos, é realizado nas reações dos outros em relação a você.

10.

Desejar para o outro o que você deseja para si mesmo. Esta é a chave para uma relação humana harmoniosa.

11.

Mude seu conceito de seu empregador. Sinta e pratique a regra de ouro e a lei do amor, e ele responderá em conformidade.

12.

A outra pessoa não pode incomodá-lo ou irritá-lo se você não o permitir. Seu pensamento é criativo, e você pode abençoá-lo. Se alguém o insulta, você pode simplesmente dizer-lhe: "A paz de Deus enche sua alma".

13.

O amor é a chave para se dar bem com os outros. O amor é compreensão, boa vontade e respeito pela divindade do outro.

14.

Você não odiaria um corcunda ou um aleijado, você teria compaixão. Da mesma forma, ter compaixão por "corcundas mentais" que foram negativamente condicionados. Entender tudo é perdoar tudo.

15.

Alegrem-se com o sucesso, a promoção e a boa sorte um do outro. Desta forma, você também atrai boa sorte para si mesmo.

16.

Nunca ceda às birras emocionais e aos caprichos dos outros. A rendição não paga: não seja um capacho. Aja de acordo com o que é certo. Mantenha-se fiel ao seu ideal, sabendo que a visão mental que lhe dá paz, felicidade e alegria é correta, boa e verdadeira. O que te abençoa, abençoa a todos. A única coisa que você deve a qualquer pessoa no mundo é amor, e amor é desejar a todos o que você deseja para si mesmo - saúde, felicidade e todas as bênçãos da vida.

Capítulo XVII - Como usar o Inconsciente para Perdoar

A vida não tem favoritismos. Deus é vida, e este princípio de vida flui através de nós neste exato momento. Deus ama expressar-se como harmonia, paz, beleza, alegria e abundância através de nós. Isto se chama vontade ou tendência de Deus para a vida.

Se houver resistência na mente ao fluxo da vida que flui através de nós, este congestionamento emocional se expressará na mente inconsciente e causará muitos tipos de condições negativas. Deus nada tem a ver com as condições infelizes ou caóticas do mundo, todas essas condições são trazidas pelo pensamento negativo e destrutivo do homem. Portanto, é uma tolice culpar a Deus por sua desordem ou doença.

Muitas pessoas se acostumaram a resistir mentalmente ao fluxo da vida, culpando e culpando Deus pelo pecado, pela doença e pelo sofrimento da humanidade. Outros culpam a Deus por seus sofrimentos, perda de entes queridos, tragédias pessoais e acidentes. Eles estão zangados com Deus e acreditam que Ele é responsável por sua infelicidade.

Desde que as pessoas entretenham tais conceitos negativos sobre Deus, elas experimentarão as reações negativas automáticas de sua mente inconsciente. Na realidade, essas pessoas não percebem que estão se punindo a si mesmas. Eles devem ver a verdade, encontrar a libertação e renunciar a toda condenação, ressentimento e raiva contra qualquer pessoa ou qualquer poder fora de si. Caso contrário, eles não serão capazes de se envolver em atividades criativas saudáveis e felizes. No momento em que essas pessoas aceitarem um Deus de amor em suas mentes e corações, e no momento em que tiverem fé de que Deus é o Pai amoroso que as protege, cuida delas, as guia, as apóia e as fortalece, esse conceito e fé em Deus ou no princípio da vida serão realizados por sua mente inconsciente, e muitas bênçãos se seguirão.

A vida sempre perdoa você

A vida lhe perdoa quando você corta seu dedo. A inteligência inconsciente dentro de você imediatamente se prepara para repará-lo, e novas células tentam costurar o corte. Se você ingerir acidentalmente alimentos contaminados, a vida o perdoa e o regurgitará para que você sobreviva. Se você queimar sua mão, o princípio de vida reduz o edema e o congestionamento e lhe dá nova pele, tecido e células. A vida não guarda rancor contra você, e sempre o perdoa. A vida o traz de volta à saúde, vitalidade, harmonia e paz, se você cooperar pensando em harmonia com a natureza. Memórias negativas, dolorosas, amarguras e enfermidades se acumulam e impedem o livre fluxo do princípio de vida.

Como ele baniu essa culpa

Eu conhecia um homem que trabalhava todas as noites até uma da manhã. Ele não prestava atenção a seus dois filhos ou sua esposa, ele estava sempre muito ocupado trabalhando. Ele achava que as pessoas deveriam respeitá-lo porque ele trabalhava muito. Mas sua pressão arterial era superior a duzentos e ele estava cheio de culpas. Inconscientemente, ele se puniu com muito trabalho e ignorou completamente seus filhos. Isso normalmente não acontece - um pai deveria estar interessado em seus filhos, e não excluir sua esposa de seu mundo.

Expliquei a ele por que ele estava trabalhando tanto: "Há algo roendo dentro de você, senão você não se comportaria assim. Você está se punindo e tem que aprender a perdoar a si mesmo". Descobri que ele tinha um profundo sentimento de culpa, em relação a seu irmão.

Expliquei-lhe que Deus não o estava castigando, mas que ele próprio estava castigando. Por exemplo, se você abusar das leis da vida, você sofrerá de acordo. Se você colocar sua mão na tomada, você terá um choque. As forças e a natureza não são más, é seu uso delas que determina seu bom ou mau efeito. A eletricidade não é má, depende de como você a utiliza, seja para queimar um edifício ou para iluminar uma casa. O único pecado é a ignorância da lei, e a única punição é a reação automática ao abuso da lei pelo homem.

Se você abusar do princípio da química, pode explodir o escritório ou a fábrica onde você trabalha. Se você bater sua mão em uma tábua, você pode sangrar - não é esse o seu propósito.

Este homem percebeu que Deus não condena nem pune ninguém, e que todo seu sofrimento se devia à reação de sua mente inconsciente a seu pensamento negativo e destrutivo. Uma vez ele havia enganado seu irmão, que mais tarde faleceu. Por isso, ele estava cheio de remorsos e de culpa.

Eu lhe perguntei: "Você quer enganar seu irmão agora?" Ele disse: "Não". "Você se sentiu justificado naquele momento?" Sua resposta foi: "Sim". "Mas, você não faria isso agora?" Ele acrescentou: "Não, eu estou ajudando os outros a aprender a viver".

Eu acrescentei o seguinte comentário: "Agora você tem uma maior compreensão das coisas. Perdoar é perdoar a si mesmo. O perdão está colocando os pensamentos em conformidade com a lei divina da harmonia. A auto-condenação é chamada inferno (escravidão e restrição); o perdão é chamado céu (harmonia e paz)".

O peso da culpa e da auto-condenação foi assim retirado de sua mente, e ele se recuperou completamente. O médico analisou sua pressão arterial e a achou normal.

Um assassino aprendeu a perdoar a si mesmo

Há muitos anos, recebi a visita de um homem que havia matado seu irmão na Europa. Sofreu uma forte dor mental que o torturava, e ele acreditava que era Deus quem o castigava. Ela me explicou que seu irmão tinha tido um caso com sua esposa e que ela tinha atirado no pé dele - isso tinha acontecido cerca de quinze anos antes de nossa reunião. Enquanto isso, este homem havia casado com uma garota americana e havia sido abençoado com três lindas crianças. Ele estava numa posição em que podia ajudar muitas pessoas e era um homem

193

mudado.

Minha explicação foi que ele, física e psicologicamente, não era mais o mesmo homem que havia baleado seu irmão (lembre-se que cada célula de nosso corpo se renova a cada onze meses). Além disso, mentalmente e espiritualmente ele era um homem novo. Ele agora estava cheio de amor e boa vontade para com a humanidade. O "eu antigo" que havia cometido o crime quinze anos antes estava mentalmente e espiritualmente morto. Na verdade, ele agora estava condenando um homem inocente!

Esta explicação teve um efeito profundo sobre ele e ele me disse que era como se um enorme peso tivesse sido retirado de sua mente. Ele percebeu o significado da seguinte verdade na Bíblia: quando seus pecados são como escarlate, eles serão branqueados como neve; quando são vermelhos como grãos, eles se tornarão como lã. Isaías 1:18.

A crítica não pode prejudicá-lo sem sua permissão

Um professor me disse que uma de suas colegas lhe escreveu uma carta criticando-a, dizendo que ela falava muito rápido, comia suas palavras, era difícil de seguir, sua dicção era pobre e seu discurso em geral era ineficaz. Este professor ficou furioso e ressentido com as críticas.

Ela admitiu-me que a crítica era justa. Sua primeira reação foi realmente infantil e ela aceitou as críticas como uma ferramenta construtiva. Ela começou imediatamente a complementar suas deficiências inscrevendo-se em um curso de elocução no City College. Ela escreveu e agradeceu à autora das críticas por seu interesse, expressando apreço por suas conclusões e pelos resultados que permitiram ao professor corrigir a questão imediatamente.

Como ter compaixão

Suponha que nenhuma das coisas mencionadas na carta tenha sido verdadeira no caso do professor. Esta última teria percebido que seu material de lição tinha perturbado os preconceitos, superstições ou crenças estreitas do autor da carta, e que era simplesmente o caso de uma pessoa psicologicamente doente estar derramando seu ressentimento.

Entender este fato é ser compassivo. O próximo passo lógico seria rezar pela paz, harmonia e compreensão do outro. Você não pode ser ferido quando sabe que é dono de seus pensamentos, reações e emoções. As emoções seguem os pensamentos e você tem o poder de rejeitar todos os pensamentos que possam perturbá-lo ou perturbá-lo.

Deixado no altar

Há alguns anos atrás, fui convidado para um casamento. Infelizmente, o noivo não apareceu, e a futura noiva, depois de chorar, me disse: "Eu rezei por orientação divina. Esta poderia ser a resposta".

Esta foi sua reação: fé em Deus e em todas as coisas boas. Ela não tinha amargura no coração porque, como ela disse, "não precisava ser a escolha certa, porque eu rezei por uma ação certa para nós dois". Outro, em tal experiência, teria ficado agitado, talvez desmaiado ou explodido de raiva, com resultados mesmo sérios, como uma internação hospitalar. Sintonize com a Infinita Inteligência em seu inconsciente, confiando em sua resposta da mesma forma que você confia em sua mãe quando ela o prende. Desta forma, você pode ganhar equilíbrio e saúde mental e emocional.

É errado se casar, sexo é maldade e eu sou mal

Há algum tempo atrás, falei com uma garota de 22 anos. Ela havia sido ensinada que dançar, jogar cartas, nadar e sair com homens era um pecado. Ela foi ameaçada por sua mãe, que lhe disse que arderia para sempre nas chamas do inferno se desobedecesse à sua vontade e aos ensinamentos religiosos. Esta garota usava apenas roupas pretas com meias pretas. Ela não usava batom ou qualquer tipo de maquiagem porque sua mãe dizia que essas coisas eram pecaminosas.

Sua mãe lhe disse que todos os homens eram maus, e que o sexo era uma deboche diabólica.

Esta garota teve que aprender a se perdoar porque estava cheia de culpas. Perdão significa deixar ir. Ela teve que abrir mão de todas essas falsas crenças em favor das verdades da vida e de uma nova auto-estima. Quando saiu com colegas, ela tinha um profundo sentimento de culpa e pensava que Deus iria puni-la. Ela conheceu vários caras muito bons, mas ela disse: "É errado se casar. O sexo é mau e eu sou mau". Esta era sua consciência de condicionamento precoce.

Ela vinha até mim uma vez por semana durante cerca de dez semanas e eu lhe ensinava o funcionamento da mente consciente e inconsciente, descrito neste livro. Esta menina aos poucos percebeu que tinha sido completamente condicionada, hipnotizada por uma mãe ignorante, supersticiosa, fanática e frustrada. Ela se distanciou completamente de sua família e começou a levar uma vida feliz.

Por minha sugestão ela se vestiu de cores brilhantes, teve aulas de dança de um homem e também teve aulas de direção. Ela aprendeu a nadar, aprendeu a jogar cartas e teve uma série de datas. Ela começou a amar a vida. Ela rezava para encontrar um companheiro, para que o Espírito Infinito atraísse um homem que estivesse perfeitamente sintonizado com ela. Eventualmente, isto aconteceu. Uma noite, depois de sua sessão, havia um homem esperando para me ver e eu os apresentei casualmente. Agora eles são casados e se complementam perfeitamente.

O perdão é necessário para a cura

Quando você reza, se você tem algo contra alguém, perdoe. Marcos 11:25.

Perdoar os outros é essencial para a paz mental e a saúde. Você deve perdoar a todos que já lhe fizeram mal, se você quer saúde e felicidade perfeitas. Perdoe-se trazendo seus pensamentos em harmonia com a lei e a ordem divina. Você não pode realmente perdoar a si mesmo até que tenha perdoado os outros primeiro. Recusar-se a perdoar a si mesmo nada mais é do que orgulho ou ignorância.

No atual campo psicossomático da medicina, é constantemente enfatizado que o ressentimento, a condenação dos outros, o remorso e a hostilidade estão na raiz de uma série de doenças que vão da artrite às doenças cardíacas. É enfatizado que estes sofredores, que foram feridos, maltratados ou enganados, estavam cheios de ressentimento e ódio por aqueles que os haviam prejudicado. Isto causou feridas inflamadas em sua mente inconsciente. Há apenas um remédio: ignorar suas feridas, e a única maneira segura de fazer isso é através do perdão.

Perdão é amor em ação

O ingrediente essencial na arte do perdão é a disposição para perdoar. Se você deseja sinceramente perdoar a outra pessoa, você está cinqüenta e um por cento perto do objetivo. Tenho certeza de que você sabe que perdoar a outra pessoa não significa necessariamente que você gosta dessa pessoa ou que quer se associar com ela. Ninguém pode nos forçar a gostar de alguém, nem um governo pode fazer leis de boa vontade, amor, paz ou tolerância. É absolutamente impossível que as pessoas gostem umas das outras porque alguém emitiu um édito para esse fim. Podemos, no entanto, amar as pessoas sem gostar delas.

A Bíblia diz: "Amai o vosso próximo". Isto pode ser feito por qualquer pessoa que realmente o deseje. Amar significa desejar à outra pessoa saúde, felicidade, paz, alegria e todas as bênçãos da vida. Há apenas um pré-requisito: sinceridade. Você não é magnânimo quando perdoa, na verdade você é egoísta, porque o que você deseja para a outra pessoa, você realmente deseja para si mesmo. Isto é porque você está pensando e sentindo isso. O que você está pensando e sentindo, você será. Existe algo mais simples do que isso?

Técnica do perdão

Este é um método simples que fará maravilhas em sua vida se você o praticar. Acalme sua mente, relaxe e deixe-se levar. Pense em Deus e em Seu amor por você, e depois diga: "Eu perdoo completa e completamente X [nome da pessoa]; eu o libero mental e espiritualmente. Eu o perdôo totalmente por tudo o que se refere a este assunto. Eu sou livre e ele é livre. É uma sensação maravilhosa. É o meu dia de anistia geral. Liberto todos aqueles que já me prejudicaram e desejo a todos saúde, felicidade, paz e todas as bênçãos da vida. Faço isto livremente, com alegria e amor, e toda vez que penso na pessoa ou pessoas que me feriram, digo: "Eu vos liberto e vos desejo todas as bênçãos da vida". Eu estou livre e você está livre. É maravilhoso"!

O grande segredo do verdadeiro perdão é que uma vez perdoada a pessoa, não há necessidade de repetir a oração. Sempre que a pessoa ou a memória do mal feito vier à tona em sua mente, deseje o bem à pessoa e repita: 'A paz esteja com você'. Faça isso tantas vezes quanto o pensamento surgir em sua mente. Você notará que após alguns dias o pensamento da pessoa ou experiência retornará cada vez menos, até que desapareça no ar.

O teste decisivo para o perdão

Assim como na matemática, para o perdão há também o teste de tornassol. Se a notícia chegar a você de que algo muito positivo aconteceu com alguém que o enganou, traiu ou enganou, e você ao ouvir tais notícias começar a sentir raiva fervendo em seu sangue, este é um sinal claro de que você ainda tem ódio em sua mente inconsciente.

Suponha que você tenha tido um abcesso doloroso no maxilar há um ano e eu lhe perguntei após um ano, aparentemente ao acaso, se ainda doía. Você provavelmente responderia: "Claro que não". Eu me lembro disso, mas dói mais". Funciona exatamente assim. Você pode ter uma memória do acidente, mas não sentir mais dor. Este é o

198

teste decisivo, e você tem que realizá-lo para garantir que não está se enganando e que está praticando a verdadeira arte do perdão.

Entender tudo é perdoar tudo

Quando o homem compreende a lei criativa de sua própria mente, ele deixa de culpar os outros pelas condições que afetam sua vida. Ele sabe que seus pensamentos e sentimentos criam seu destino. Além disso, ele está consciente de que o exterior não condiciona sua vida e suas experiências. Pensar que outros podem arruinar sua felicidade, que você está à mercê de um destino cruel, que você deve se opor e lutar contra outros para viver - estes e outros pensamentos semelhantes se tornarão insuportáveis quando você perceber que os pensamentos são coisas. A Bíblia diz a mesma coisa: pois, como ele pensa em seu coração, assim ele é. Provérbios 23:7.

Resumo da ajuda para o perdão

1.
Deus, ou a vida, não discrimina as pessoas. A vida não tem favoritismos. A vida, ó Deus, parece favorecê-lo quando você se alinha com os princípios da harmonia, saúde, alegria e paz.
2.
Deus, ou a vida, nunca envia doenças, acidentes ou sofrimento. Trazemos estas coisas sobre nós mesmos com nosso pensamento negativo baseado na lei, colha o que você semeia.
3.
Seu conceito de Deus é a coisa mais importante em sua vida. Se você realmente acredita em um Deus de amor, sua mente inconsciente responderá a você com inúmeras bênçãos. Acredite em um Deus de amor.
4.
A vida, ó Deus, não tem rancor contra você. A vida nunca o condena. A vida cura um corte severo em sua mão. A vida lhe perdoa se você queimar seu dedo. Ele reduz a ferida e restaura a plenitude e

a perfeição.

5.

Sua culpa é um falso conceito de Deus e de vida. Deus, ou a vida, não o castiga ou julga. Você o faz a si mesmo com suas crenças falsas, pensamento negativo e autocondenação.

6.

Deus, ou a vida, não o condena ou pune. As forças da natureza não são más. O efeito de seu uso depende de como você usa o poder que tem dentro de você. Você pode usar eletricidade para matar alguém ou para iluminar sua casa. Você pode usar água para afogar alguém ou para saciar sua sede. O bem e o mal se referem ao pensamento e ao propósito na mente do homem.

7.

Deus, ou a vida, nunca castiga. O homem se castiga com seus falsos conceitos de Deus, da vida e do universo. Seus pensamentos são criativos e podem criar sua infelicidade.

8.

Se alguém o criticar por coisas que objetivamente se aplicam a você, regozije-se, agradeça e aprecie os comentários. Isto lhe dá a oportunidade de corrigir a falha em particular.

9.

Você não pode ser ferido pela crítica quando sabe que é o mestre de seus próprios pensamentos, reações e emoções. Isto lhe dá a oportunidade de rezar e abençoar o outro, ao mesmo tempo em que se abençoa a si mesmo.

10.

Quando você reza por direção e ação correta, tome o que vier. Entenda que é bom e muito bom - então não há razão para autopiedade, crítica ou ódio.

11.

Não há nada bom ou ruim em si mesmo, só o pensamento faz com que isso aconteça. Não há mal no sexo, desejo por comida, riqueza ou expressão verdadeira. Depende de como você usa esses impulsos, desejos e aspirações. Seu desejo por comida pode ser satisfeito sem matar alguém por um pedaço de pão.

12.

O ressentimento, o ódio, a má vontade e a hostilidade estão na raiz de uma série de doenças. Perdoe-se e perdoe todos os outros enviando amor, vida, alegria e boa vontade a todos aqueles que lhe fizeram mal. Continue até que você os perceba em sua mente e esteja em paz com eles.

13.

Perdoar é deixar ir - você dá amor, paz, alegria, sabedoria e todas as bênçãos da vida à outra pessoa até que não haja mais cicatriz em sua mente. Este é o teste decisivo do perdão.

14.

Suponha que você tenha tido um abcesso na mandíbula há cerca de um ano, o que foi muito doloroso. Pergunte-se se agora é doloroso. Você verá que a resposta é negativa. Da mesma forma, se alguém lhe fez mal, lhe mentiu, o difamou e o tratou mal, pergunte-se: seus pensamentos sobre essa pessoa são negativos? Você sente a raiva borbulhando quando ele ou ela vem à sua mente? Se assim for, as raízes do ódio ainda estão lá, gerando o caos em sua mente. A única maneira é afundá-los no amor, desejando à pessoa todas as bênçãos da vida, até que você seja capaz de visualizar essa pessoa em sua mente e possa sentir sinceramente sentimentos de paz e boa vontade. Este é o significado do perdão

Capítulo XVIII - Remover bloqueios mentais usando a mente inconsciente

A solução está no problema. A resposta está em todas as perguntas. Se você é apresentado a uma situação difícil e não consegue ver uma solução clara, o melhor procedimento é assumir que a Inteligência Infinita em sua mente inconsciente sabe tudo e vê tudo, tem a resposta e a está revelando a você agora. Sua nova atitude mental de que a inteligência criativa está levando a uma solução, lhe permitirá encontrar a resposta. Você pode ter certeza de que tal atitude mental trará ordem, paz e significado a todos os seus esforços.

Como quebrar ou construir um hábito

Você é uma criatura de hábitos. O hábito é a função de sua mente inconsciente. Você aprendeu a nadar, andar de bicicleta, dançar e dirigir um carro, fazendo estas coisas vezes sem conta até que elas estabelecessem traços em sua mente inconsciente. Então, o hábito automático de ação de sua mente inconsciente tomou conta. Isso às vezes é chamado de segunda natureza, que é uma reação de sua mente inconsciente aos seus pensamentos e ações. Você é livre para escolher um bom ou mau hábito. Se você repete um pensamento ou ação negativa durante um período de tempo, você sofre a compulsão de um hábito. A lei do seu inconsciente é a coerção.

Como quebrar um mau hábito

Um Sr. Jones me disse: "Fico preso a uma vontade incontrolável de beber e ficar bêbado por até duas semanas de cada vez. Não posso desistir deste terrível hábito".

Este homem tinha adquirido o hábito de beber em excesso. Embora ele tivesse começado a beber por iniciativa própria, ele também começou a perceber que poderia mudar o hábito e estabelecer um novo. Ele disse que através de sua força de vontade ele foi capaz de suprimir temporariamente seus desejos, porém seus contínuos esforços para suprimir os muitos impulsos só pioraram as coisas.

Seus repetidos fracassos o convenceram de que era desesperançoso e impotente para controlar seu impulso ou obsessão. Esta idéia de ser impotente funcionou como uma sugestão poderosa em sua mente inconsciente e agravou sua fraqueza, fazendo de sua vida uma sucessão de fracassos.

Eu o ensinei a harmonizar as funções da mente consciente e inconsciente. Quando estes dois cooperam, a idéia ou desejo implantado na mente secundária é realizado. Seu raciocínio concordou que como o antigo caminho do hábito o havia conduzido a uma situação difícil, ele poderia então formar um novo caminho de liberdade, sobriedade e paz de espírito. Ele sabia que seu hábito destrutivo era automático, mas como foi adquirido por sua escolha consciente, ele percebeu que se fosse condicionado negativamente, ele poderia ser condicionado positivamente. Como resultado, ele deixou de pensar que não seria capaz de superar o hábito. Além disso, ele entendeu claramente que não havia obstáculos para sua recuperação, a não ser seu próprio pensamento. Portanto, não houve ocasião para um grande esforço mental ou coerção mental.

O poder do quadro mental

O homem realizou uma prática de relaxamento ao entrar num estado meditativo, depois fixou em sua mente a imagem do objetivo desejado, sabendo que sua mente inconsciente poderia alcançá-lo da maneira mais simples. Ele imaginou sua filha parabenizando-o por sua sobriedade e dizendo: "Pai, é ótimo ter você em casa" - o homem tinha na verdade perdido sua família para beber. Ele não estava autorizado a visitar seus filhos e sua esposa não falava com ele.

Regular e sistematicamente, ele costumava sentar-se e meditar da maneira descrita. Quando sua atenção estava distraída, ele se habituou a recordar imediatamente a imagem mental de sua filha com seu sorriso e a cena na casa animada por sua voz alegre. Tudo isso levou a um recondicionamento de sua mente. Foi um processo gradual que continuou por algum tempo. Ele perseverou, sabendo que mais cedo ou mais tarde estabeleceria um novo padrão de hábito em sua mente inconsciente.

Eu lhe disse que ele podia comparar sua mente consciente com uma câmera, que sua mente inconsciente era a placa sensível na qual ele gravava e imprime a imagem. Isto causou uma profunda impressão nele, e seu propósito era imprimir firmemente a imagem em sua mente e desenvolvê-la ali. O filme se desenvolve no escuro, assim como as imagens mentais se desenvolvem na câmara escura da mente inconsciente.

Atenção focalizada

Percebendo que sua mente consciente era simplesmente uma câmera, não houve luta mental. Ele ajustou calmamente seus pensamentos e concentrou sua atenção na cena à sua frente até que gradualmente se identificou com a imagem. Ele se absorveu na atmosfera mental - e não havia razão para duvidar de que haveria uma recuperação. Quando foi tentado a beber, ele mudou sua imaginação de qualquer idéia de beber para a de estar em casa com sua família. Ele teve sucesso porque tinha fé de que viveria na realidade a imagem que estava desenvolvendo em sua mente. Hoje ele é presidente de uma empresa famosa, está de volta a casa e radiantemente feliz.

Perseguido por jinx

O Sr. Block tinha uma renda anual de $20.000, mas nos últimos três meses, as coisas não pareciam estar indo bem. Muitos clientes estavam prestes a assinar um contrato, mas então no último minuto eles se retiraram. Ele, portanto, começou a acreditar que estava sendo assombrado pela má sorte.

Discutindo o assunto com este cavalheiro, descobri que três meses antes ele tinha ficado muito irritado e ressentido com um dentista que, depois de prometer assinar um contrato, havia se retirado no último momento. Ele começou a viver no medo inconsciente de que outros clientes fizessem o mesmo, criando assim uma história de frustração, hostilidade e obstáculos. Gradualmente ele construiu uma imagem de obstáculos e cancelamentos de última hora em sua mente até que um círculo vicioso foi criado. O que ele mais temia lhe aconteceu. O Sr. Block percebeu que o problema estava em sua mente e que era essencial para mudar sua atitude mental.

O curso de seu chamado jinx foi interrompido da seguinte forma: "Percebo que estou em sintonia com a Inteligência Infinita de minha mente inconsciente que não conhece obstáculos, dificuldades ou atrasos. Eu vivo na expectativa alegre dos melhores. Minha mente mais profunda responde aos meus pensamentos. Sei que o trabalho do infinito poder da minha mente inconsciente não pode ser dificultado. A inteligência infinita sempre termina com sucesso, seja qual for seu início. A sabedoria criativa funciona através de mim, levando todos os meus planos e propósitos à fruição. O que quer que eu comece, levarei a uma conclusão bem sucedida. Meu propósito na vida é prestar um serviço maravilhoso, e todos aqueles que eu contacto são abençoados pelo que tenho a oferecer. Todo o meu trabalho chega à plena realização na ordem divina.

Ele repetia esta oração todas as manhãs antes de ligar para seus clientes, e também rezava todas as noites antes de ir dormir. Em pouco tempo ele havia estabelecido um novo padrão de hábito em sua mente inconsciente, e havia retornado ao seu antigo tenor habitual como um vendedor de sucesso.

Quanto você quer o que você quer?

Um menino perguntou a Sócrates como obter sabedoria. Sócrates respondeu: "Sigam-me". Ele levou o menino a um rio, empurrou a cabeça do menino para debaixo d'água, segurou-o lá até que o menino quase não tinha ar nos pulmões, depois relaxou e soltou o menino. Quando o menino se recuperou, Sócrates lhe perguntou: "O que você mais desejava quando estava debaixo d'água?

"Eu queria ar", disse o garoto.

Sócrates lhe disse: "Quando você desejar sabedoria da mesma forma que desejava ar quando estava com a cabeça debaixo d'água, você a receberá".

206

Da mesma forma, quando você tem um desejo intenso de superar qualquer obstáculo em sua vida, e chega a uma decisão clara de que existe uma saída, e este é o caminho que você deseja seguir, então a vitória e o triunfo estão garantidos.

Se você realmente deseja paz de espírito e calma interior, você a terá, independentemente das várias injustiças das pessoas ao seu redor. Tudo isso não faz diferença quando você desperta com seus poderes mentais e espirituais. Você saberá o que quer, e certamente se recusará a deixar que pensamentos) de ódio, raiva, hostilidade e doença roubem sua paz, harmonia, saúde e felicidade. Você não será mais presa de pessoas, condições, notícias e eventos, identificando imediatamente seus pensamentos com seu propósito na vida. Seu objetivo é alcançar a paz, a saúde, a inspiração, a harmonia e a abundância. Você vai sentir um rio de paz fluindo através de você. Seu pensamento é o poder intangível, invisível, e você escolhe deixá-lo abençoá-lo, inspirá-lo e dar-lhe paz.

Por que ele não curou

Este é o caso de um homem casado com quatro filhos que vivia secretamente com outra mulher durante suas viagens de negócios. Ele estava doente, nervoso, irritável e não conseguia dormir sem os comprimidos para dormir. O médico não conseguiu diminuir sua alta pressão arterial de mais de duzentos. Ele tinha dores em vários órgãos, que os médicos não conseguiam diagnosticar ou aliviar. Para piorar a situação, ele tinha começado a beber muito.

A causa de tudo isso foi uma profunda culpa inconsciente. Ele havia violado seus votos matrimoniais, o que o perturbava. As crenças religiosas em que ele foi criado estavam profundamente enraizadas em sua mente inconsciente, e ele bebeu para curar a ferida da culpa. Alguns inválidos tomam morfina e codeína para dores fortes, do mesmo modo que ele bebia álcool para as dores em sua mente. A velha história de jogar gasolina na fogueira.

207

A explicação e a cura

Ele ouviu a explicação de como sua mente funciona. Ele compreendeu seu problema, enfrentou-o e renunciou ao seu duplo papel. Ele sabia que sua bebida era uma tentativa inconsciente de fuga. A causa oculta alojada em sua mente inconsciente tinha que ser erradicada, então a cura aconteceria.

Ele começou a gravar a seguinte oração em sua mente inconsciente três ou quatro vezes ao dia: "Minha mente está cheia de paz e equilíbrio. O infinito me espera na quietude feliz dentro de mim. Eu não temo nada no passado, presente ou futuro. A Inteligência Infinita de minha mente inconsciente me guia e direciona minhas ações. Agora enfrento cada situação com fé, equilíbrio, serenidade e confiança. Agora estou completamente livre do hábito. Minha mente está repleta de paz interior, liberdade e alegria. Eu me perdoo, e estou perdoado. Paz, sobriedade e confiança reina suprema em minha mente".

Ele repetia freqüentemente esta oração como descrita, estando plenamente consciente do que estava fazendo e por que o estava fazendo. Saber o que ele estava fazendo lhe deu a fé e a confiança necessárias. Expliquei-lhe que ao repetir estas declarações em voz alta, lentamente, amorosamente e com intenção, elas iriam lentamente ficar impressas em sua mente inconsciente. Estas verdades em que ele se concentrou entraram através de seus olhos, o som e as vibrações curativas destas palavras atingiram sua mente inconsciente e eliminaram todos os padrões mentais negativos que causaram os problemas. A luz dissipa a escuridão. O pensamento construtivo destrói o pensamento negativo. Ele se tornou um homem novo em um mês.

Recusando-se a admiti-lo

Se você é um alcoólatra ou viciado em drogas, admita. Não contorne o problema. Muitas pessoas permanecem alcoólatras porque se recusam a admiti-lo.

Sua doença é uma instabilidade, um medo interior. Você se recusa a enfrentar a vida, então tenta fugir de suas responsabilidades através da garrafa. Como alcoólatra, você não tem livre-arbítrio, mesmo que pense que tem. Se você é um alcoólatra e diz corajosamente: "Nunca mais vou tocar nele", você não tem o poder de realizar esta afirmação, porque não sabe onde localizar o poder.

Você vive em uma prisão psicológica de sua própria autoria e está preso por suas crenças, opiniões, treinamentos e influências. Como a maioria das pessoas, você é uma criatura de hábitos. Você está condicionado em suas reações.

Construindo uma idéia de liberdade

Você pode construir a idéia de liberdade e paz de espírito em sua mente para que ela chegue ao fundo de seu inconsciente. Este último, sendo poderoso, o libertará de todo desejo por álcool. Então, você terá uma nova compreensão de como sua mente funciona, e poderá realmente apoiar sua declaração e provar a verdade para si mesmo.

51 por cento curados

Se você tem um forte desejo de se livrar de qualquer hábito destrutivo, você já está curado em 51%. Quando você tiver mais vontade de abandonar o mau hábito do que de continuá-lo, não terá muita dificuldade para se livrar dele.

O que quer que você conserte em sua mente o tornará maior. Se você fixar em sua mente o conceito de liberdade (liberdade do hábito) e paz de espírito, e se mantiver sua atenção focalizada nesta nova direção, você gerará sentimentos e emoções que irão gradualmente validar o conceito de liberdade e paz. Qualquer idéia que você validar será aceita por seu inconsciente e levada à realização.

A lei de substituição

Algo de bom pode sair de seu sofrimento. Você não sofreu em vão. No entanto, é uma tolice continuar sofrendo.

Se você continuar sendo um alcoólatra, isto leva à deterioração mental e física e à decadência. O poder no seu inconsciente está lhe apoiando. Pode acontecer que você seja tomado pela melancolia e, nesse caso, pense e imagine a alegria da liberdade que está prestes a chegar. Esta é a lei de substituição. Sua imaginação o levou à garrafa; deixe agora que ela o leve à liberdade e à paz de espírito. Você vai sofrer um pouco, mas é para um propósito construtivo. Você o carregará como uma espécie de gestação até o parto e dará à luz uma criança da mente. Seu inconsciente dará à luz a sobriedade.

Causa do alcoolismo

A verdadeira causa do alcoolismo é o pensamento negativo e destrutivo, porque o que um homem pensa, assim ele é. O alcoólatra tem uma profunda sensação de inferioridade, inadequação, derrota e frustração, geralmente acompanhada de uma profunda hostilidade interior. Ele tem inúmeras desculpas para beber, mas a única razão real está em sua vida de pensamento.

Três Passos Mágicos

O primeiro passo

Fique quieto e acalme sua mente. Entre em um estado de tranqüilidade e sonolência. Neste estado relaxado, pacífico e receptivo, você está se preparando para o segundo passo.

O segundo passo

Pegue uma frase curta que possa ser facilmente gravada em sua memória, e repita várias vezes como uma canção de ninar. Você pode usar a frase: "Agora consegui sobriedade e paz de espírito, e agradeço". Para evitar que a mente vagueia, repita em voz alta ou mentalmente. Isto ajudará a impressão na mente inconsciente. Faça isso por cinco minutos ou mais - você encontrará uma resposta emocional profunda.

A terceira etapa

Pouco antes de dormir, pratique o que fez o autor alemão Johann von Goethe. Imagine um amigo ou um ente querido na sua frente. Seus olhos estão fechados, você está relaxado e em paz. O ente querido ou amigo está subjetivamente presente e diz: "Parabéns!" para você. Você vê seu sorriso, ouve sua voz. Ele toca mentalmente sua mão; tudo é real e vívido. A palavra "parabéns" implica total liberdade. Ouça-o repetidamente até obter a reação inconsciente que deseja.

Continuar neste curso

Quando o medo bate à porta de sua mente, ou quando a preocupação, a ansiedade e a dúvida o agarram, concentre-se em sua visão, em seu objetivo. Pense no poder infinito de sua mente inconsciente, que você pode gerar com seus pensamentos, e isto lhe dará confiança, poder e coragem. Continue perseverando até o dia começar e as sombras fugirem.

Revise seu poder de pensamento

1.
A solução está no problema. A resposta está em todas as perguntas. A Infinite Intelligence lhe responde se você a invoca com fé e confiança.

2.
O hábito é uma função de sua mente inconsciente. Não há maior prova do poder maravilhoso de sua mente inconsciente do que a força e o hábito de balançar em sua vida. Você é uma criatura de hábitos.

3.
Os padrões de hábito são formados na mente inconsciente repetindo um pensamento e agindo sobre ele uma e outra vez até que ele se fixe na mente inconsciente e se torne automático, como nadar, dançar, escrever, caminhar, dirigir um carro, etc.

4.

Você tem a liberdade de escolher. Você pode escolher um bom hábito ou um mau hábito. A oração é um bom hábito.

5.

Qualquer imagem mental, sustentada pela fé, que você vê em sua mente consciente, será realizada por sua mente inconsciente.

6.

O único obstáculo para seu sucesso e realização é seu pensamento mental ou sua imagem.

7.

Quando sua atenção vaguear, leve-a de volta à contemplação de seu propósito. Tenha o hábito de fazer isso - chama-se disciplinar a mente.

8.

Sua mente consciente é uma câmera, e sua mente inconsciente é o filme no qual você grava ou imprime a imagem.

9.

O único infortúnio que existe é um medo repetitivo na mente. Quebre a maldição sabendo que o que quer que comece será levado a uma conclusão na ordem divina. Imagine o final feliz e apoie-o com confiança.

10.

Para formar um novo hábito, é necessário desejá-lo. Quando seu desejo de abandonar o mau hábito é maior do que seu desejo de continuá-lo, você já está 51% curado.

11.

Declarações de outros não podem prejudicá-lo a não ser através de seus próprios pensamentos e participação mental. Identifique-se com seu propósito que é a paz, a harmonia e a alegria. Você é o único pensador em seu universo.

12.

Beber demais é um desejo inconsciente de escapar. A causa do alcoolismo é o pensamento negativo e destrutivo. A cura está em pensar em liberdade, sobriedade e perfeição e experimentar a alegria da realização.

13.

Muitas pessoas continuam alcoólatras porque se recusam a admiti-lo.

14.
A lei de sua mente inconsciente, que o manteve preso e inibiu sua liberdade de ação, também pode restaurar sua liberdade e felicidade. Depende de como você o utiliza.

15.
Sua imaginação o levou à garrafa; deixe que ela o conduza de volta à liberdade.

16.
A verdadeira causa do alcoolismo é o pensamento negativo e destrutivo. O que um homem pensa em seu coração (mente inconsciente), assim é.

17.
Quando o medo bater à porta de sua mente, deixe que a fé em Deus se abra.

Capítulo XIX - Eliminando os medos usando o inconsciente

Um de meus alunos foi convidado para falar em um banquete. Ele me disse que entrou em pânico ao pensar em falar na frente de tantas pessoas. Ele superou seu medo desta maneira: durante várias noites, sentou-se em uma cadeira confortável e durante cerca de cinco minutos repetiu para si mesmo, com uma atitude positiva: "Eu vencerei este medo". Já estou superando isso neste momento. Falarei com serenidade e confiança. Estou relaxado e à vontade". Ele adotou uma lei mental precisa e, ao fazê-lo, superou seu medo.

A mente inconsciente é suscetível à sugestão e é controlada por ela. Quando você relaxa sua mente, os pensamentos de sua mente consciente afundam no inconsciente através de um processo semelhante à osmose, o processo pelo qual os fluidos são separados por uma mistura de membranas porosas. Quando estes fluidos de pensamento positivo afundam na mente inconsciente, eles crescem de acordo com seu tipo e você ganha equilíbrio, serenidade e calma.

O maior inimigo

Diz-se que o medo é o maior inimigo do homem. O medo está na raiz do fracasso, da doença e das relações humanas disfuncionais. Milhões de pessoas têm medo do passado, do futuro, da velhice, da loucura e da morte. O medo é apenas um pensamento em sua mente e você tem medo de seus pensamentos.

Uma criança pode ser paralisada pelo medo quando lhe é dito que há um monstro debaixo de sua cama que o levará embora. Quando seu pai acende a luz e lhe mostra que não há nenhum monstro, a criança é libertada do medo. O medo na mente da criança era tão real como se realmente houvesse um monstro debaixo da cama. Ele estava curado de um pensamento falso em sua mente. O que ele temia não existia. Da mesma forma, a maioria de seus medos não tem realidade, eles são apenas uma coleção de sombras sinistras sem poder próprio.

Fazendo o que você teme

Ralph Waldo Emerson, filósofo e poeta, disse: "Faça o que tem medo de fazer, e a morte por medo é certa". Houve um tempo em que o escritor deste capítulo estava cheio de medo indescritível ao enfrentar um público. A maneira que eu superei foi ficar diante da platéia, fazer o que eu tinha medo de fazer, e a morte por medo era certa. Quando você afirma positivamente que vai dominar seus medos, e chega a uma decisão final em sua mente consciente, você libera o poder do inconsciente que flui em resposta à natureza de seu pensamento.

Chega de medo do palco

Uma jovem mulher foi convidada para uma audição e ficou muito entusiasmada com isso. No entanto, em três ocasiões anteriores, ela havia falhado miseravelmente por causa do medo do palco. Ela tinha uma voz muito bonita, mas estava certa de que quando chegasse a hora de cantar, ela seria tomada de pavor. A mente inconsciente toma seus medos como um pedido, procede a manifestá-los e depois os percebe em sua experiência. Em três audições anteriores, ela cantou acordes errados, e eventualmente sucumbiu à pressão e chorou. A causa, como mencionado anteriormente, foi a auto-sugestão involuntária, ou seja, um medo silencioso, emocional e subjetivo.

Ele a superou com a seguinte técnica: três vezes ao dia ele se isolava em uma sala, sentado confortavelmente para relaxar seu corpo e fechar os olhos. Ele tentou acalmar sua mente e corpo o melhor que pôde - a inércia física encoraja a passividade e torna a mente mais receptiva à sugestão. Ele tentou assim neutralizar a sugestão do medo dizendo a si mesmo: "Eu canto lindamente, sou equilibrado, sereno, confiante e calmo".

Ele repetiu esta afirmação claramente dentro de si mesmo cinco a dez vezes por "sessão". Ela tinha três "sessões" assim todos os dias, imediatamente antes de ir para a cama. Após uma semana, ela estava pronta e confiante, e teve uma audição excepcional. Realizar este procedimento para garantir a eliminação do medo.

Medo de falhar

De vez em quando, os jovens da universidade local vêm me ver. Eles freqüentemente parecem sofrer de amnésia durante os exames. A história é sempre a mesma: "As respostas só me vêm à mente depois do exame, mas não consigo me lembrar delas durante o mesmo".

A idéia que se concretiza é aquela para a qual se concentra invariavelmente a atenção. Acho que todos temos medo da idéia de fracasso - e o medo é a base da amnésia temporária.

Um jovem estudante de medicina era o mais brilhante de sua classe, no entanto, ele se encontrava na situação de não ser capaz de responder perguntas simples no momento dos exames escritos ou orais. Expliquei a ele que a razão era que ele estava muito preocupado e tinha tido medo por vários dias antes do exame. Estes pensamentos negativos perceberam seus medos.

Os pensamentos envoltos na poderosa emoção do medo são realizados na mente inconsciente. Em outras palavras, este jovem pediu à sua mente inconsciente que o fizesse falhar, e foi exatamente isso que ele fez. No dia do exame, ele se viu atingido pelo que se chama, em círculos psicológicos, amnésia sugestiva.

Como superar o medo

Aquele menino aprendeu que sua mente inconsciente era o depósito da memória, e que ele registrou perfeitamente tudo o que ele tinha ouvido e lido durante seu treinamento médico. Ele também aprendeu que a mente inconsciente era reativa e recíproca. A melhor maneira de se relacionar com ela era estar relaxado e confiante.

Todas as noites e todas as manhãs ele começava a imaginar sua mãe parabenizando-o por uma conquista fantástica. Ele se imaginava segurando em sua mão uma carta imaginária de sua mãe e, ao começar a contemplar o feliz resultado, suscitava uma reação correspondente ou recíproca dentro de si mesmo. O poder onipotente do inconsciente tomou conta, ditou e dirigiu sua mente consciente de acordo. Ele imaginou o fim, querendo os meios para realizar o fim. Após este procedimento, ele não teve problemas em passar nos exames subseqüentes. Em outras palavras, a sabedoria subjetiva tomou conta dele, permitindo-lhe dar um excelente desempenho.

Medo da água, alturas, lugares fechados e afins

Há muitas pessoas que têm medo de andar de elevador, escalar montanhas ou até mesmo nadar na água. Pode ser que o indivíduo tenha tido experiências desagradáveis na água durante a infância, tais como ser jogado na água sem poder nadar. Ele ou ela pode ter sido mantido à força em um elevador que não funcionou adequadamente, resultando em um medo de lugares fechados.

Eu tive uma experiência quando tinha cerca de dez anos de idade. Caí acidentalmente em uma piscina e fui abaixo com a cabeça duas ou três vezes. Ainda me lembro da água escura que me envolveu na audição, e de minha respiração ofegante até que outro garoto me puxou para fora. Esta experiência afundou em minha mente inconsciente e durante anos eu temi a água.

Um psicólogo me disse: "Desça até a piscina, olhe para a água e diga em voz alta e em tons fortes: 'Eu vou dominar você, eu posso dominar você'". Então, entre na água, tenha aulas e supere seu medo". Segui seu conselho e aprendi a dominar a água. Não deixe que a água o domine - lembre-se que você é o mestre da água.

Quando assumi uma nova atitude mental, o poder onipotente do inconsciente respondeu, dando-me força, fé e confiança e permitiu que eu superasse meu medo.

Técnica para superar todos os medos

O seguinte é uma técnica para superar o medo que eu ensino a partir de minha plataforma e que funciona maravilhosamente. Experimente!

Suponha que você tenha medo da água, de uma montanha, de uma entrevista de emprego, de uma audição, ou de lugares fechados. Se você tiver medo de nadar, comece imediatamente ficando parado por cinco ou dez minutos, três ou quatro vezes por dia, e imagine que você está nadando. Na realidade, você está nadando em sua mente, é uma experiência subjetiva: mentalmente você se projetou na água, você sente o frio da água e o momento em seus braços e pernas. Tudo isso é real e vívido por causa da atividade da mente. Não é um sonho ocioso, porque você sabe que o que você está experimentando em sua imaginação se desenvolverá em sua mente inconsciente. Então você sentirá o impulso de expressar a imagem que você imprimiu em sua mente mais profunda. Esta é a lei do inconsciente.

Você pode aplicar a mesma técnica se tiver medo das alturas: imagine escalar uma montanha, sentir a realidade de tudo isso e apreciar a paisagem, sabendo que se você continuar fazendo isso mentalmente, você pode fazê-lo fisicamente com facilidade.

Ele abençoou o elevador

Eu conhecia o gerente de uma grande empresa que tinha medo de andar de elevador. Ele subia cinco lances de escadas para seu escritório todas as manhãs. Ele disse que começou a abençoar o elevador todas as noites e várias vezes ao dia e assim finalmente superou seu medo. Eis como ele abençoou o elevador: "O elevador em nosso edifício é uma idéia maravilhosa, nascida da mente universal. É uma vantagem e uma grande ajuda para todos os nossos funcionários. Oferece um excelente serviço. Ela funciona na ordem divina. Subo nela pacificamente e alegremente. Agora fico em silêncio enquanto as correntes da vida, do amor e da compreensão fluem através dos meus padrões de pensamento. Na minha imaginação, agora estou em um elevador e saio para o piso do meu escritório. O elevador está cheio de nossos funcionários, eu falo com eles de maneira amigável e me sinto feliz. É uma experiência maravilhosa de liberdade, fé e confiança. Eu dou graças".

Ele continuou com esta oração por cerca de dez dias e no décimo primeiro dia ele entrou no elevador com outros membros da organização e se sentiu completamente livre.

Medos normais e anormais

O homem nasce com dois medos, o medo de cair e o medo do barulho. É uma espécie de sistema de alarme que a natureza nos deu como um meio de autopreservação. O medo normal é bom. Você ouve um carro descendo a estrada e se afasta para sobreviver. O medo momentâneo de ser atropelado é superado por sua ação. Todos os outros medos foram dados a você por membros da família, professores e todos aqueles que influenciaram seus primeiros anos de vida.

Medo anormal

O medo anormal ocorre quando o homem deixa sua imaginação correr livre. Eu conhecia uma mulher que tinha sido convidada a voar pelo mundo. Ela começou a cortar dos jornais todas as notícias de desastres aéreos. Ela se imaginava caindo no oceano, se afogando, etc. Este é um medo anormal. Se ela persistisse nisto, sem dúvida uma das coisas que ela mais temia se tornaria realidade.

Outro exemplo de medo anormal é o de um homem de negócios muito próspero e bem sucedido de Nova York. Mas ele frequentemente projetava em sua mente um "filme" muito negativo que nascia do medo. Ele dirigiu este filme mental de falência, falência, prateleiras vazias e uma conta bancária no vermelho, até mergulhar em uma depressão profunda. Ele se recusou a parar esta imagem mórbida e continuou repetindo que "isto não pode durar", "haverá uma recessão", "tenho certeza de que vamos à falência", etc.

Sua esposa me disse que ele acabou falindo, e todas as coisas que ele imaginava e temia se tornaram realidade. As coisas que ele temia não existiam, mas ele as tornou realidade, temendo, acreditando e vivendo constantemente em um desastre financeiro. Job disse que o que eu temia se concretizou.

Há pessoas que temem que algo terrível aconteça a seus filhos ou que uma terrível catástrofe lhes suceda. Quando lêem sobre uma epidemia ou uma doença rara, vivem com medo de contraí-la e alguns imaginam que já têm a doença. Tudo isso é um medo anormal.

A resposta ao medo anormal

A solução é passar mentalmente para o extremo oposto. Permanecer no extremo do medo é estagnação e deterioração física e mental. Quando o medo surge, devemos despertar o desejo de algo oposto ao temido. Chame sua atenção para o objeto imediatamente desejado. Deixe-se absorver e envolver pelo desejo, sabendo que o subjetivo sempre inverte o objetivo. Esta atitude lhe dará confiança e elevará seu espírito. O poder infinito de sua mente inconsciente se move por você e não pode falhar, você ganhará paz e segurança.

Examine seus medos

O presidente de uma grande organização me disse que quando ele era vendedor, ele andava cinco ou seis vezes pelo quarteirão antes de ligar para um cliente. O gerente de vendas lhe disse um dia: "Não tenha medo de monstros atrás da porta". Não há monstros, isso é uma falsa crença".

O gerente lhe disse que sempre que sentia seus medos aparecerem, ele os enfrentava, olhando-os diretamente nos olhos. Assim, elas se desvaneceriam e se tornariam insignificantes.

Ele pousou na selva

Um sacristão me contou sobre sua experiência na Segunda Guerra

Mundial: ele teve que sair de pára-quedas de um avião danificado e pousar na selva. Ele disse que estava assustado, mas ele sabia que havia dois tipos de medo, normal e anormal, como mencionamos anteriormente.

Ele decidiu fazer algo a respeito do medo, e começou a falar consigo mesmo dizendo: "John, você não pode ceder a seu medo. Seu medo é um desejo de segurança e uma saída".

Ele disse para si mesmo: "A inteligência infinita que guia os planetas em seus caminhos guia e me dirige para fora da selva".

Ele repetiu isto em voz alta por dez minutos ou mais. Então", acrescentou ele, "algo começou a se mover dentro de mim". Um clima de confiança começou a se imprimir em mim e eu comecei a caminhar. Depois de alguns dias, saí milagrosamente da selva e fui pego por um avião de resgate". Sua mudança de atitude mental o salvou. Sua confiança na sabedoria subjetiva e no poder subjetivo nele foi a solução para seu problema.

Ele disse: "Se eu tivesse começado a reclamar de meu destino e a satisfazer meus medos, eu teria sucumbido ao medo de monstros e provavelmente teria morrido de medo e fome.

Ele se demitiu

O CEO de uma organização me disse que durante três anos ele temia perder seu cargo. Ele sempre imaginou um fracasso. O que ele temia não existia, exceto como um pensamento mórbido e ansioso em sua mente. Sua imaginação vívida dramatizou a perda de seu emprego até se tornar neurótico. Finalmente, ele foi convidado a se demitir.

Na realidade, ele mesmo atirou. Suas constantes imagens negativas e sugestões de medo à sua mente inconsciente fizeram com que esta última reagisse e reagisse de acordo. Isto o levou a cometer erros na tomada de decisões que levaram ao seu fracasso como gerente. Sua demissão nunca teria acontecido se ele tivesse mudado imediatamente para o oposto em sua mente.

Uma conspiração

Em uma viagem recente, tive uma conversa de duas horas com um importante funcionário do governo. Ele era um homem que exalava um profundo senso de paz interior e serenidade. Ele disse que todas as críticas políticas que ele recebe dos jornais e do partido de oposição nunca o incomodam. Sua prática é ficar parado durante quinze minutos da manhã e perceber que no centro de si mesmo está um oceano profundo de paz. Ao meditar desta forma, ele gera um enorme poder que supera todos os tipos de dificuldades e medos.

Algum tempo antes, um colega o chamou à meia-noite e lhe disse que um grupo de pessoas estava conspirando contra ele. Isto foi o que ele disse a seu colega: "Agora vou dormir em paz total". Falaremos novamente amanhã de manhã, às 10h".

Ele me disse: "Eu sei que nenhum pensamento negativo pode se manifestar a menos que se concentre no pensamento e o aceite mentalmente. Recuso-me a aceitar a sugestão de medo deles. Portanto, eu não posso sofrer nenhum dano".

Repare como ele estava calmo e quieto! Ele não começou a se mexer, a arrancar os cabelos ou a entrar em pânico. Ele encontrou uma paz interior e uma grande calma.

Liberte-se de todos os seus medos

Use esta fórmula, é perfeita para afastar o medo: procurei o Senhor, e Ele me respondeu, e me libertou de todos os meus medos. Salmos 34:4.

O Senhor significa lei - o poder de sua mente inconsciente.

Aprenda as maravilhas de seu inconsciente, e como ele funciona. Domine as técnicas dadas a você neste capítulo. Coloque-os em prática agora, hoje! Seu inconsciente responderá, e você estará livre de todos os medos. Busquei o Senhor, e Ele me respondeu, e me libertou de todos os meus medos.

Passos para se livrar do medo

1.

Para eliminar os medos, faça o que você teme. Repita para si mesmo: "Eu vencerei este medo", e você o fará.

2.

O medo é um pensamento negativo em sua mente. Eliminá-lo com pensamento construtivo. O medo já matou milhões, mas a fé é maior do que o medo. Nada é mais poderoso do que a fé em Deus e na bondade.

3.

O medo é o maior inimigo do homem. Ela está na raiz do fracasso, da doença e das relações humanas disfuncionais. O amor expulsa o medo. O amor é uma ligação emocional com as coisas boas da vida. Apaixonar-se pela honestidade, integridade, justiça, boa vontade e sucesso. Viva com alegria na expectativa do melhor, e invariavelmente o melhor virá.

4.

Contrariar sugestões de medo com seu oposto, tais como "eu canto lindamente; estou equilibrado, sereno e calmo". Você terá resultados fantásticos.

5.

O medo causa amnésia durante um exame. Você pode superar este problema dizendo: "Tenho uma memória perfeita de tudo o que preciso saber", ou você pode imaginar um amigo lhe parabenizando por seu brilhante sucesso no exame. Persevere e você ganhará.

6.

Se você tem medo da água, nade em sua imaginação, com alegria. Projetar-se mentalmente dentro da água. Experimente a emoção de nadar na piscina. Ao fazer isso, você será capaz de entrar na água e dominar seu medo. Esta é a lei de sua mente.

7.

Se você tem medo de lugares fechados, tais como elevadores ou salas com tetos baixos, envie bênçãos mentais para tais lugares. Você verá como o medo se dissipará rapidamente.

8.

Você nasceu com apenas dois medos, o medo de cair e o medo do barulho. Todos os seus outros medos foram adquiridos. Livre-se deles

9.

O medo normal é bom. O medo anormal é ruim e destrutivo. A constante indulgência em pensamentos de medo resulta em medo anormal, obsessões e complexos. O medo de algo constantemente causa uma sensação de pânico e pavor.

10.

É possível superar o medo anormal quando você sabe que o poder de sua mente inconsciente pode mudar as condições e satisfazer os desejos de seu coração. Você quer atenção e sua devoção ao seu desejo, que é o oposto de medo. Este é o amor que expulsa o medo.

11.

Se você tem medo de fracassar, envie sua atenção para o sucesso. Se você tem medo de doenças, envie sua atenção para a saúde perfeita. Se você tiver medo de um acidente, envie sua atenção para a orientação e proteção de Deus. Se você teme a morte, envie sua atenção para a vida eterna. Deus é vida, e esta é a sua vida agora.

12.

A grande lei de substituição é a resposta ao medo. Qualquer que seja seu medo, você tem sua solução sob a forma de desejo. Se você estiver doente, deseje saúde. Se você está na prisão do medo, deseje liberdade. Espere o bem. Concentre-se mentalmente no bem, e saiba que a mente inconsciente sempre responde. Nunca falha.

13.

As coisas que você teme não existem realmente, exceto como pensamentos na mente. Os pensamentos são criativos. Job disse que o que eu temia se concretizou. Pense bem e o bem se seguirá.

14.

Olhe para seus medos à luz da razão. Aprenda a rir de seus medos. Este é o melhor remédio.

15.

Nada pode prejudicá-lo, a não ser seus próprios pensamentos. Sugestões, declarações ou ameaças de outras pessoas não têm poder. O poder está dentro de você, e quando seus pensamentos estão focalizados no que é bom, então o poder de Deus está com seus pensamentos do bem. Há apenas um poder criativo, e ele se move como harmonia. Não há divisões ou brigas nele. Sua fonte é o amor. É por isso que o poder de Deus está em seus pensamentos do bem.

Capítulo XX - Permanecer Jovem para Sempre no Espírito

A mente inconsciente nunca envelhece. É intemporal, sem idade e interminável. É parte da mente universal de Deus que nunca nasceu e nunca morrerá.

O cansaço ou a velhice não se baseiam em qualidades espirituais. Paciência, bondade, humildade, boa vontade, paz, harmonia e amor fraterno são atributos e qualidades que nunca envelhecem. Mantenha estas qualidades e você será eternamente jovem em espírito.

Lembro-me de ler um artigo há alguns anos em uma de nossas revistas em que se dizia que um grupo de médicos eminentes da Clínica De Courcy, em Cincinnati, Ohio, declarou que o simples passar dos anos não é responsável pelo aparecimento de distúrbios degenerativos. Esses mesmos médicos afirmaram que é o medo do tempo, e não o próprio tempo, que tem o efeito nocivo do envelhecimento em nossa mente e corpo, e que o medo neurótico dos efeitos do tempo também pode ser uma causa do envelhecimento prematuro.

Durante os muitos anos de minha atividade pública, tive a oportunidade de estudar as biografias de homens e mulheres famosos que continuaram sua atividade produtiva em anos muito além da expectativa média. Alguns deles atingiram seu auge na velhice. Ao mesmo tempo, foi meu privilégio conhecer e conhecer inúmeros indivíduos que, embora desconhecidos ou considerados de pouca importância, provaram que a velhice em si não destrói os poderes criativos da mente e do corpo.

Envelhecendo na vida do pensamento

Há alguns anos, liguei para um velho amigo em Londres. Ele tinha mais de 80 anos de idade, estava muito doente e obviamente sucumbindo ao avanço da idade. Nossa conversa revelou sua fraqueza física, seu sentimento de frustração e uma deterioração geral que quase se aproxima da morte. Ele repetiu que ele era inútil e que ninguém o queria. Com uma expressão de desespero ele traiu sua falsa filosofia: "Nascemos, crescemos, envelhecemos, não servimos mais para nada, e este é o fim".

Esta atitude mental de inutilidade foi a principal razão de sua doença. Ele parecia não ter nenhum propósito, nenhuma expectativa alegre de nada. Na verdade, ele havia envelhecido em sua vida de pensamento, e sua mente inconsciente carregava todas as evidências de seu pensamento habitual.

A idade é a aurora da sabedoria

Infelizmente, muitas pessoas têm a mesma atitude que este homem infeliz.

Eles têm medo do que eles chamam de "velhice", o fim e a extinção, o que na verdade significa que eles têm medo da vida. No entanto, a vida é infinita. A idade não é o passar dos anos, mas o amanhecer da sabedoria.

A sabedoria é a consciência de enormes poderes espirituais na mente inconsciente e o conhecimento de como aplicar esses poderes para levar uma vida plena e feliz. Desfaçamos este mito de uma vez por todas: 65, 75 ou 85 anos de idade não tem que ser sinônimo de fim, para e nem para ninguém mais. Pode ser o começo de uma vida gloriosa, gratificante, ativa e mais produtiva do que nunca. Tenha fé nisto e seu inconsciente se dará conta.

Abrace a mudança

A velhice não é um evento trágico. O que chamamos de processo de envelhecimento é mais uma mudança. É para ser recebido com alegria, já que cada etapa da vida humana é um passo à frente no caminho infinito. O homem tem poderes que transcendem seus poderes corporais. Ele tem sentidos que transcendem seus cinco sentidos físicos.

Os cientistas de hoje estão encontrando evidências incontroversas de que uma certa consciência no homem pode deixar seu corpo e viajar milhares de quilômetros para ver, ouvir, tocar e falar com as pessoas, mesmo que seu corpo físico nunca tenha saído de casa.

A vida do homem é espiritual e eterna. Ele não envelhecerá de verdade, porque Deus não pode envelhecer. A Bíblia diz que Deus é vida. A vida é auto-renovável, eterna, indestrutível e é a realidade de todos os homens.

Evidência de sobrevivência

As evidências reunidas pelas sociedades de pesquisa psíquica tanto na Grã-Bretanha como na América são esmagadoras. Pode-se visitar qualquer grande biblioteca e obter volumes dos Anais da Sociedade de Pesquisa Psíquica a respeito das descobertas de distintos cientistas sobre a sobrevivência após a morte. Em The Case for Psychic Survival de Hereward Carrington, diretor do Instituto Psíquico Americano, você pode ler um incrível relatório sobre experimentos científicos que estabelecem a realidade da vida após a morte.

A vida é

Uma mulher perguntou a Thomas Edison, o 'pai' da eletricidade: "Sr. Edison, o que é eletricidade?".

Ele respondeu: "Senhora, simplesmente a eletricidade é. Use-o".

Eletricidade é um nome que damos a um poder invisível que não entendemos totalmente, mas tentamos aprender tudo o que podemos sobre o princípio da eletricidade e seus usos. Nós o usamos de muitas maneiras.

O cientista não pode ver um elétron com seus olhos, mas o aceita como um fato científico porque é a única conclusão válida que coincide com outras evidências experimentais. Não podemos ver a vida. No entanto, sabemos que estamos vivos. A vida, muito simplesmente, é, e estamos aqui para vivê-la, em toda sua beleza e glória.

A mente e o espírito não envelhecem

A Bíblia diz: Isto é vida eterna: que eles conheçam você, o único Deus verdadeiro, e aquele que você enviou, Jesus Cristo. João 17:3.

Aqueles que acreditam que o ciclo terrestre de nascimento, crescimento, juventude, maturidade e velhice é tudo o que há para a vida, devem realmente ter pena. Tais pessoas não têm esperança, nenhuma visão, e a vida não tem sentido para elas.

Este tipo de crença traz frustração, estagnação, cinismo e uma sensação de desesperança que resulta em neurose e aberrações mentais de todos os tipos. Se você não pode jogar um jogo completo de tênis, ou nadar tão rápido quanto seu filho, ou se seu corpo é mais lento para andar - lembre-se de que a vida é uma renovação contínua. O que os homens chamam de morte é apenas uma viagem para uma nova cidade em outra dimensão da vida.

Em minhas aulas eu digo aos alunos que eles devem aceitar graciosamente o que chamamos de velhice. A idade tem sua própria glória, beleza e sabedoria, que pertencem a ela. Paz, amor, alegria, beleza, felicidade, boa vontade e compreensão são qualidades que nunca envelhecem e nunca morrem.

Ralph Waldo Emerson, poeta e filósofo, disse: "Não contamos os anos de um homem enquanto não houver mais nada para contar. Seu caráter, a qualidade de sua mente, sua fé e suas crenças não estão sujeitas à decadência.

Você é tão velho quanto pensa que é

Ocasionalmente dou palestras públicas em Caxton Hall, Londres, e uma vez, após uma dessas palestras, um cirurgião me disse: 'Tenho 84 anos, opero todas as manhãs, vejo pacientes à tarde e escrevo para revistas médicas e outras revistas científicas à noite'.

Sua atitude era ser tão útil quanto ele mesmo acreditava ser, e ser tão jovem quanto ele mesmo acreditava ser. Ele me disse: 'É verdade o que você disse: 'O homem é tão forte quanto acredita ser, e tão valioso quanto acredita ser'.

Este cirurgião não se rendeu aos seus anos de avanço. Ele sabe que é imortal. O último comentário que ele me fez foi: "Se eu morresse amanhã, eu operaria pessoas na dimensão seguinte, não com o bisturi de um cirurgião, mas com uma cirurgia mental e espiritual".

Seu cabelo grisalho é uma vantagem

Nunca pense: 'Estou aposentado; estou velho; estou acabado'. Isso traria estagnação, e você estaria realmente acabado. Algumas pessoas são velhas aos 30 anos, enquanto outras são jovens aos 80. A mente é o mestre tecelão, o arquiteto, o designer e o escultor. George Bernard Shaw ainda estava ativo aos 90 anos de idade, e a qualidade artística de sua mente não havia se afastado do serviço ativo.

Conheço pessoas que me dizem que alguns empregadores quase batem com a porta na cara quando dizem ter mais de 40 anos. Esta atitude por parte dos empregadores é fria, insensível, pérfida e completamente desprovida de compaixão e compreensão. A ênfase total parece ser na juventude, parece que se precisa ter menos de 35 anos para ser considerado. O raciocínio por trás disto é certamente muito superficial. Se o empregador tivesse parado para pensar, ele teria percebido que o homem ou mulher à sua frente não estava vendendo sua idade ou seus cabelos grisalhos, mas estava disposto a dar seus talentos, experiência e sabedoria que ele ou ela cultivou através de anos de experiência de vida.

A idade é um bem

Sua idade deve ser vista como um bem importante para qualquer organização, devido a sua experiência e sua aplicação durante anos dos princípios da lei do amor e da boa vontade. Seu cabelo grisalho, se você tiver algum, deve ser sinônimo de maior sabedoria, habilidade e compreensão. Sua maturidade emocional e espiritual deve ser um grande trunfo para qualquer organização.

Não se deve pedir a um homem que se demita quando ele tem 65 anos de idade. Este é o momento da vida em que ele pode ser mais útil para administrar questões de pessoal, fazer planos para o futuro, tomar decisões e orientar outros para o reino das idéias criativas com base em sua experiência e conhecimento da natureza do negócio.

Seja sua própria idade

Um roteirista de Hollywood me disse que ele tinha que escrever roteiros para crianças do ensino médio. É uma situação trágica se se espera que as pessoas aumentem ou diminuam sua capacidade de amadurecer emocional e espiritualmente. Isso significa que a ênfase está na juventude, apesar do fato de que juventude é sinônimo de inexperiência, falta de discernimento e julgamento apressado.

Eu posso acompanhar o melhor deles

Agora penso em um homem de 65 anos tentando freneticamente se manter jovem. Ele nada com jovens todos os domingos, faz longas caminhadas, joga tênis e se orgulha de suas proezas físicas e poderes, dizendo: "Olha, eu posso acompanhar o melhor deles".

Ele deve se lembrar desta grande verdade: como um homem pensa em seu coração, assim ele é. Provérbios 23:7.

Dietas, exercícios e esportes não vão mantê-lo jovem. É necessário que ele compreenda que envelhece ou permanece jovem de acordo com seus processos de pensamento. Sua mente inconsciente é condicionada por seus pensamentos. Se seus pensamentos são constantemente sobre o belo, o nobre e o bom, você permanecerá jovem independentemente de sua idade.

Medo da velhice

Job disse: "Essas coisas aconteceram comigo, o que eu temia muito". Há muitas pessoas que temem a velhice e estão incertas sobre o futuro, porque antecipam a deterioração física e mental com o avanço dos anos. O que eles pensam e sentem se torna realidade.

Envelhecemos quando perdemos o interesse pela vida, quando deixamos de sonhar, ansiamos por novas verdades e buscamos novos mundos para conquistar. Quando sua mente estiver aberta a novas idéias e à inspiração de novas verdades da vida e do universo, você será jovem e vital.

Você ainda tem muito a oferecer

Se você tem 65 ou 95 anos de idade, você percebe que tem muito a oferecer. Você pode ajudar a estabilizar, aconselhar e dirigir a próxima geração. Você pode dar o benefício de seu conhecimento, experiência e sabedoria. Você pode sempre olhar para frente, porque em cada momento você está olhando para a vida infinita. Você descobrirá que nunca poderá parar de desvendar as glórias e maravilhas da vida. Tente aprender algo novo a cada momento do dia, e você descobrirá que sua mente será sempre jovem.

Cento e dez anos

Há alguns anos, enquanto lecionava em Bombaim, Índia, fui apresentado a um homem que disse ter 110 anos de idade. Ele tinha o rosto mais bonito que eu já havia visto. Ele parecia estar transfigurado pelo brilho de uma luz interior. Havia uma rara beleza em seus olhos para mostrar que ele havia envelhecido com alegria e sem nenhum sinal de que sua mente havia diminuído sua luz.

Aposentadoria - um novo desafio

Certifique-se de que sua mente nunca se retraia. Pense nele como um pára-quedas: ele é inútil se não abrir. Ser aberto e receptivo a novas idéias. Vi homens de 65 e 70 aposentados, pareciam estar apodrecendo, e em poucos meses morreram. Obviamente, eles pensaram que a vida tinha acabado.

A aposentadoria pode ser um novo empreendimento, um novo desafio, um novo caminho, o início da realização de um sonho. É realmente deprimente ouvir um homem dizer: "O que devo fazer agora que estou aposentado"? Porque na verdade é isso que ele está dizendo: "Estou mentalmente e fisicamente morto". "Minha mente está falida de idéias".

Tudo isso é uma imagem falsa. A verdade é que, se você quiser, pode fazer mais aos 90 do que aos 60, porque a cada dia você está crescendo em sabedoria e compreensão da vida e do universo através de novos estudos e interesses.

Ele se formou em um trabalho melhor

Um gerente, que mora perto de mim, foi forçado a se aposentar há alguns meses porque atingiu a idade de 65 anos. Ele me disse: "Considero minha aposentadoria como uma promoção do jardim de infância à primeira série". Ele filosofou assim: disse que ao sair do ensino médio, ele subiu de nível ao ir para a universidade. Ele percebeu que era um passo em frente em sua educação e compreensão da vida em geral. Da mesma forma, acrescentou, ele agora podia fazer as coisas que sempre quis fazer, de modo que sua aposentadoria foi mais um passo na escada da vida e da sabedoria.

Ele chegou à sábia conclusão de que não mais se concentraria em ganhar a vida. Agora ele dedicaria toda sua atenção à vida. Ele é um fotógrafo amador e já fez outros cursos a esse respeito. Ele já viajou pelo mundo e tirou belas fotos de lugares famosos. Atualmente, ele faz palestras com vários grupos e clubes e está em grande demanda.

Há inúmeras maneiras de se interessar por algo útil fora de você mesmo. Enthuse com novas idéias criativas, faça progresso espiritual e continue a aprender e crescer. Desta forma, você permanecerá jovem de coração, pois ainda terá fome de novas verdades, e seu corpo refletirá seu pensamento em todos os momentos.

Você deve ser um maestro e não um prisioneiro da sociedade

Os jornais têm apontado que a população de eleitores idosos nas eleições da Califórnia está aumentando em grande escala. Isto significa que suas vozes serão ouvidas pela legislatura estadual e também nos salões do Congresso. Acredito que será promulgada uma lei federal que proíbe os empregadores de discriminar homens e mulheres por causa da idade.

Um homem de 65 anos pode ser mais jovem mentalmente, física e psicologicamente do que muitos homens na faixa dos 30 anos. É ridículo dizer a um homem que ele não pode ser empregado porque tem mais de 40 anos. É como dizer-lhe que ele tem um pé na cova.

O que um homem de 40 anos ou mais deve fazer? Enterrar seus talentos e esconder-se debaixo de um arbusto? As pessoas que são impedidas de trabalhar por causa de sua idade devem ser apoiadas pelos tesouros do governo estadual. As organizações que se recusarem a contratá-los e usarem sua sabedoria e experiência ainda pagarão impostos para sustentá-los. Se você pensar nisso, é uma espécie de autoglória financeira.

O homem está aqui para desfrutar dos frutos de seu trabalho, e ele está aqui para ser um criador e não um prisioneiro da sociedade.

O corpo do homem diminui gradualmente à medida que os anos passam, mas sua mente consciente pode se tornar muito mais ativa, alerta e vigilante pela inspiração de sua mente inconsciente. Sua mente, na verdade, nunca envelhece. Jó disse: "Oh, que eu pudesse voltar como estava aos meses de antigamente, aos dias em que Deus me protegia, quando sua lâmpada brilhava sobre minha cabeça e pela sua luz eu caminhava no meio da escuridão; como estava aos dias do meu outono, quando Deus protegia minha tenda. Trabalho 29:2-4.

O segredo da juventude

Para reconquistar os dias de sua juventude, sinta o poder miraculoso, curativo e auto-renovador de sua mente inconsciente movendo-se através de todo o seu ser. Sinta-se inspirado, elevado, rejuvenescido, revitalizado e recarregado espiritualmente. Você pode pular de alegria, como nos dias de sua juventude, pela simples razão de que você pode sempre sentir uma sensação de alegria.

A vela que brilha em sua cabeça é inteligência divina e revela tudo o que você precisa saber; ela permite afirmar a presença de seu bem, independentemente de suas aparências. Caminhe sob a orientação de sua mente inconsciente, e você verá o amanhecer aparecer e as sombras fugirem.

Tenha uma visão

Em vez de dizer "eu sou velho", dizer "eu sou sábio, e a caminho da vida divina". Não deixe que a empresa, os jornais ou as estatísticas tenham uma imagem de velhice, declínio, senilidade e inutilidade sobre você. Rejeite-a, pois é uma mentira. Recusar-se a ser hipnotizado por tal propaganda. Afirmar a vida, não a morte. Você terá uma visão de si mesmo como feliz, radiante, bem-sucedido, sereno e poderoso.

Sua mente não envelhece

O ex-presidente Herbert Hoover, 88 anos, é muito ativo e está realizando trabalhos monumentais. Entrevistei-o há alguns anos em sua suíte no Waldorf-Astoria, Nova Iorque. Eu o achei saudável, feliz, vigoroso e cheio de entusiasmo. Ele tinha vários secretários ocupados com sua correspondência e ele mesmo estava escrevendo livros políticos e históricos. Como muitos grandes homens, eu o achei afável, amigável, generoso e compreensivo.

Sua perspicácia mental e sagacidade me deram a emoção da vida. Ele é profundamente religioso e cheio de fé em Deus e no triunfo da verdade eterna da vida. Durante os anos da Grande Depressão ele foi submetido a uma barragem de pesadas críticas e objeções, mas ele resistiu à tempestade e não envelheceu em ódio, ressentimento e amargura. Pelo contrário, ele entrou no silêncio de sua alma e, comungando com a presença divina dentro dele, encontrou a paz, que é poder no coração de Deus.

Mente ativa aos noventa e nove anos

Meu pai aprendeu francês aos 65 anos de idade e tornou-se uma autoridade no assunto aos 70. Ele fez um estudo sobre Gaélico quando tinha mais de 60 anos e se tornou um professor famoso. Ele ajudou minha irmã em uma escola secundária e continuou a fazê-lo até sua morte, aos 99 anos de idade. Sua mente estava tão clara aos 99 anos quanto quando tinha 20 anos. Além disso, suas habilidades de escrita e raciocínio tinham melhorado com a idade. É tão verdade - você é tão velho quanto pensa e sente que é.

Precisamos de nossos anciãos

Marcus Porcius Cato, patriota romano, aprendeu grego aos 80 anos de idade. Madame Ernestine Schumann-Heink, grande contralto germano-americano, atingiu o auge de seu sucesso musical depois de se tornar avó. É maravilhoso ver as conquistas dos idosos. O General Douglas MacArthur, Harry S Truman, o General Dwight David Eisenhower e o financeiro americano Bernard Baruch são interessantes, ativos e contribuem com seus talentos e sabedoria para o mundo.

O filósofo grego Sócrates aprendeu a tocar instrumentos musicais quando tinha 80 anos de idade. Michelangelo pintou suas mais belas telas aos 80 anos de idade. Aos 80 anos, Cios Simonides ganhou o prêmio de poesia, Johann von Goethe terminou Fausto e Leopold von Ranke começou sua História do Mundo, que ele terminou aos 92 anos.

Alfred Tennyson escreveu um magnífico poema intitulado Crossing the Bar, aos 83 anos. Issac Newton trabalhou ativamente por quase 85 anos. Aos 88 anos de idade, John Wesley liderou, pregou e guiou os Metodistas. Há vários homens de 95 anos que vêm às minhas aulas, e eles me dizem que estão tão saudáveis agora quanto na casa dos 20.

Temos grande consideração por nossos anciãos e lhes damos todas as oportunidades para que produzam as flores do Paraíso.

Se você está aposentado, esteja interessado nas leis da vida e nas maravilhas de sua mente inconsciente. Faça algo que você sempre quis fazer. Estudar novos temas e explorar novas idéias.

Reze como se segue: Como a corça anseia pelos rios das águas, minha alma anseia por Ti, ó Deus. Salmo 42:1.

Os frutos da velhice

Então sua carne se torna mais fresca que a de uma criança; ele retorna aos dias de sua juventude. Trabalho 33:25.

Velhice significa contemplação das verdades de Deus do ponto de vista mais alto. Esteja ciente de que você está em uma jornada sem fim, uma série de passos importantes no oceano incessante, incansável e interminável da vida. Então, como o salmista, diga: Ainda darão frutos na velhice; serão cheios de vigor e verdes. Salmo 92:14.

Mas o fruto do Espírito é: amor alegria, paz, paciência, bondade, bondade, fé, mansidão, autocontrole. Contra tais coisas não há lei. Gálatas 5:22-23.

Você é uma criança de vida infinita, que não conhece fim, e você é uma criança da eternidade.

Princípios a ter em mente
1.
 Paciência, bondade, amor, boa vontade, alegria, felicidade, sabedoria e compreensão são qualidades que nunca envelhecem. Cultivá-los e expressá-los para que permaneçam jovens na mente e no corpo.
2.
 Alguns pesquisadores médicos afirmam que o medo neurótico dos efeitos do tempo pode ser a causa do envelhecimento prematuro.
3.
 A idade não é o vôo dos anos; é o amanhecer da sabedoria na mente do homem.

4.
Os anos mais produtivos de sua vida podem ser de 65 a 95.

5.
Bem-vindo aos anos que avançam. Isso significa que você está se movendo mais alto no caminho infinito da vida.

6.
Deus é vida e esta é a sua vida agora. A vida é auto-renovável, é eterna e indestrutível e é a realidade de todos os homens. Você vive para sempre porque sua vida é a vida de Deus.

7.
As provas de sobrevivência após a morte são esmagadoras. Leia os Anais da Sociedade de Pesquisa Psíquica, que você pode encontrar na biblioteca. Este volume é baseado em pesquisas científicas realizadas por cientistas líderes há mais de 75 anos.

8.
Você não pode ver sua mente, mas você sabe que tem uma mente. Você não pode ver o espírito, mas sabe que o espírito da peça, o espírito do artista, o espírito do músico e o espírito do orador é real. Da mesma forma,

o espírito de bondade, verdade e beleza que se move através de sua mente e coração é real. Você não pode ver a vida, mas sabe que está vivo.

9.
A velhice pode ser chamada de contemplação das verdades de Deus, do ponto de vista mais elevado. As alegrias da velhice são maiores do que as da juventude. Sua mente está engajada no atletismo espiritual e mental. A natureza abranda seu corpo para que você possa ter a oportunidade de meditar nas coisas divinas.

10.
Não contamos os anos de um homem até que não haja mais nada para contar. Sua fé e suas convicções não estão sujeitas à decadência.

11.
Você é tão jovem quanto pensa que é. Você é tão forte quanto pensa que é. Você é tão útil quanto você pensa que é. Você é tão jovem quanto pensa que é.

12.
Não deixe que seus cabelos grisalhos o impeçam. Você não está

vendendo seus cabelos, você está vendendo o talento, a habilidade e a sabedoria que você cultivou ao longo dos anos.

13.

A dieta e o exercício não vão mantê-lo jovem. Como um homem pensa em seu coração, assim ele é.

14.

O medo da velhice pode levar à deterioração física e mental. Aquilo que eu temia me aconteceu.

15.

Envelhece-se quando se deixa de sonhar, e quando se perde o interesse pela vida. Envelhece-se quando se é irritável, petulante e desagradável. Encha sua mente com as verdades de Deus e irradie o brilho do sol de seu amor - isto é, a juventude.

16.

Olhe em frente, porque em cada momento você está olhando para o infinito.

17.

Sua aposentadoria é um novo empreendimento. Tente novos estudos e descubra novos interesses. Agora você pode fazer as coisas que sempre quis fazer quando você estava tão ocupado ganhando a vida. Concentre-se em viver a vida.

18.

Torne-se um maestro e não um prisioneiro da sociedade. Não esconda sua luz.

19.

O segredo da juventude é amor, alegria, paz interior e risos. Nele está a plenitude da alegria. Nele não há escuridão.

20.

Você é necessário. Alguns dos maiores filósofos, artistas, cientistas ou escritores fizeram seu trabalho mais importante após os 80 anos de idade.

21.

Os frutos da velhice são amor, alegria, paz, paciência, mansidão, mansidão, fé e temperança.

22.

Você é o filho de uma vida infinita que não conhece fim. Você é o filho da eternidade. Você é maravilhoso!

Youcanprint
Finito di stampare nel mese di Gennaio 2023

The concept multiti
teracies.
tast an smell

Printed in Great Britain
by Amazon